张天荣 著

大数据学业预警

精准干预与教育转型

Academic Early Warning with Big Data

From Risk Prediction to Precision Intervention and Educational Shift

化学工业出版社
·北京·

内容简介

《大数据学业预警：精准干预与教育转型》基于大学生的行为数据，首创“学生画像—学业预警—精准干预”链式框架，系统运用 K-Means 聚类、改进 FOA-SVM 与 XGBoost 等先进算法，精准揭示学习行为、学生画像、学业预警与学习成效的动态关系，并提出分级预警与闭环干预模式，显著提升学生平均成绩与 GPA。全书结构清晰，七章内容依次覆盖新时代高校学业管理新变革、理论基础、技术与方法、学生画像构建、学业预警模型、精准干预措施及未来展望，既有扎实的统计与机器学习实证，也兼顾伦理、隐私与公平性讨论，为高校数字治理提供可复制范式。适合教育技术研究者、教学管理者及教育信息化产业从业者阅读，也可作为高等院校教育大数据课程及管理培训的参考书。

图书在版编目（CIP）数据

大数据学业预警 ： 精准干预与教育转型 / 张天荣著. 北京 ： 化学工业出版社，2026. 2. -- ISBN 978-7-122-49815-1

Ⅰ. G40-03

中国国家版本馆CIP数据核字第20263GT797号

责任编辑：王　琰　　　　文字编辑：赵　越
责任校对：王鹏飞　　　　装帧设计：张　辉

出版发行：化学工业出版社
（北京市东城区青年湖南街 13 号　邮政编码 100011）
印　　装：涿州市般润文化传播有限公司
710mm×1000mm　1/16　印张 9　字数 145 千字
2026 年 3 月北京第 1 版第 1 次印刷

购书咨询：010-64518888　　　　售后服务：010-64518899
网　　址：http://www.cip.com.cn
凡购买本书，如有缺损质量问题，本社销售中心负责调换。

定　　价：98.00元

序 言

在新一轮科技革命和产业变革的浪潮中，大数据与人工智能正深刻重塑人类社会的生产方式与治理体系，教育首屈一指。对于高等教育而言，如何从“经验治理”走向“数据驱动”“智能决策”，已经不再是技术愿景，而是事关学校办学质量、人才培养能力乃至国家竞争力的现实命题。特别是在教育数字化战略深入推进、“教育强国”“数字中国”等国家战略不断落地的今天，高校能否用好大数据，及早识别学业风险、科学实施精准干预，直接关系到学生的全面发展和教育公平的真正实现。

在实际工作中，我们既能看到教育大数据带来的巨大潜力，也清晰感受到一系列痛点：不少学校“有数据、少分析”，学习行为数据与管理决策之间存在断层；早期预警停留在简单的成绩阈值划线，缺乏对学生行为模式和发展轨迹的深入洞察；干预往往“头痛医头、脚痛医脚”，难以形成可闭环、可复制的机制。更为重要的是，数据安全、隐私保护、算法公平性等议题逐渐凸显，呼唤一套兼具技术深度与教育温度、既可落地又可迭代优化的系统化方案。

在这一背景下，《大数据学业预警：精准干预与教育转型》一书的出版，恰逢其时、意义重大。通读全书可以看到，作者并未停留在“概念式”的技术罗列，而是立足真实高校场景，基于某高校数千名学生的多源行为数据与长期追踪，构建了“学生画像—学业预警—精准干预”的链式框架，系统运用K-Means聚类、改进FOA-SVM、XGBoost等多种数据挖掘与机器学习方法，揭示学习行为、学生画像与学习成效之间的内在机理，并通过分级预警与闭环干预机制验证了实践效果，具有较强的证据支撑与推广价值。

从内容结构看，本书逻辑严谨、层次清晰：首先，从新时代高校学业管理变革入手，系统梳理教育大数据与学习分析的理论基础与研究进展，为后文模型构建奠定坚实的学理支撑；其次，围绕数据采集与预处理、特征工程、聚类与分类算法等关键技术环节，给出了完整可复现的技术路径，在此基础上，作者构建了多维度学生画像模型和学业预警模型，提出分层响应策略，并通过定量实证检验预警准确率与干预效果；最后，则将视野进一步拓展至教育数字治理与未来图景，讨论数字孪生、大模型等前沿技术在学业预警与精准干预中的应用前景。技术与教育、理论与实践在书中交织融合，使本书既可作为研究者的学术参考，也可成为管理者的操作指南。

尤为可贵的是，作者并未将“技术效果”视为唯一目标，而是始终坚持“以学生发展为中心”的价值取向，在论述中多次强调数据最小必要原则、知情同意机制以及算法可解释性的重要性，对可能出现的标签化、污名化风险保持清醒警惕，提出通过制度设计与组织协同，将学业预警与心理育人、资助帮扶、课程改革有机衔接，努力构建兼具效率、公平与温度的学业支持体系。这种对技术边界与教育伦理的自觉回应，使本书超越了一般意义上的“技术手册”，体现了对高等教育长远发展的系统思考。

从信息技术研究与高校治理实践的角度看，本书至少在三个方面具有重要启发：其一，在方法论上，展示了如何将多源教育数据转化为可解释、可操作的“学生画像”与预警指标体系，为高校搭建数据中台和学习分析平台提供了可借鉴的范式；其二，在治理模式上，通过分级预警与闭环干预，证明了“早识别、早干预、早纠偏”的机制可以切实提升学生平均成绩与 GPA，有效降低学业风险，为推动从“结果管理”走向“过程管理”提供了实证依据；其三，在发展方向上，面向未来教育智能体与教育大模型应用场景，本书提出的思路有助于高校在技术选型、架构设计与制度配套方面少走弯路。

总的来说，《大数据学业预警：精准干预与教育转型》是一部兼具前瞻视角、技术深度与实践价值的研究专著。它不仅为教育技术及相关领域的研究者提供了坚实的案例基础和方法参考，也为高校一线管理者、信息化建设人员以及教育决策者提供了可操作、可扩展的行动框架。相信随着本书的推广应用，将有助于更多高校构建起科学、智能、温暖的学业支持体系，加快推进我国高等教育在数据智能时代的高质量发展。

谨以此序，向长期耕耘在教育大数据与学业支持一线的同仁致敬，并郑重向广大教育工作者、研究者与政策制定者推荐本书。

张海滨

浙江清华长三角研究院　信息技术研究所所长

2025 年 12 月于清华园

前 言

在数字化浪潮席卷全球的今天，大数据与人工智能正以前所未有的速度改写教育的逻辑与边界。各国相继将教育大数据列为国家战略重点，中国也在“十四五”规划中明确提出要以数据驱动教育高质量发展，推动教学管理从经验导向迈向智能、精准的新范式。作为兼具人工智能研究者与高校管理者的双重身份，我深切体会到：唯有将技术洞察与育人使命融为一体，才能真正引领高等教育驶向未来。

基于这一信念，《大数据学业预警：精准干预与教育转型》选取某大学学生群体，综合运用 K-Means 聚类、改进 FOA-SVM、XGBoost 等先进算法，构建了“学生画像—学业预警—精准干预”链式作用机制，系统揭示了学习行为、学生画像与学习成效之间的动态关系。研究表明，学生画像模型与学业预警模型对成绩的预测度显著提升，学业干预后学生平均成绩和 GPA 均有明显提升，干预覆盖率跃升至 90% 以上。这些数据不仅验证了技术方法的有效性，更为高校治理提供了可复制、可推广的实践范式。

本书的理论创新体现在三个互补维度：其一，首次将动态学生画像引入学业预测框架，量化学生认知、情感与行为特征，揭示传统成绩记录难以呈现的“隐形学习”模式；其二，基于学生的行为数据，实证验证了“学业预警”在学习行为与学习成效关系中的显著调节作用；其三，提出分级学业预警与闭环干预架构，实现“精准识别—精准干预—精准优化”的连续改进机制，推动教育资源利用率的大幅提升。

面向未来，笔者在终章描绘了教育智能化的蓝图：联邦学习守护数据隐私，数字孪生支持情景推演，大模型驱动自适应学习新生态……这些前瞻思考与案例为高校在“人工智能时代”完成数字化转型提供了方向指引。

作为大学老师，我深知技术进步必须与人文关怀并行。本书在强调算法精度的同时，反复论证了公平性、伦理与隐私保护的重要性，倡议搭建跨部门协同的治理框架，确保每一项指标、每一次预警、每一次干预，都以学生的全面发展为最高准则。

本书的完成，凝聚了研究团队的智慧，得到了教师与管理者的通力协作以及学生群体的宝贵数据与真诚反馈。在此，谨向所有参与者致以崇高敬意，也感谢化学工业出版社的专业支持，使本书得以面世。

“教育的本质，是一棵树摇动另一棵树，一朵云推动另一朵云。”愿本书成为连接技术与教育的桥梁，为更多教育工作者、研究者与政策制定者提供可资借鉴的路径，共同探索数据智能赋能下的人才培养新图景。

谨以此书，献给每一位致力于用数据与智慧点亮学生未来的教育同行。

张天荣

2026 年 1 月

目 录

第 1 章　新时代高校学业管理新变革

随着大数据与人工智能技术的飞速发展，教育领域正经历前所未有的变革。5G、物联网和云计算等新技术的广泛应用，使得各类教育数据（如学习行为、消费习惯等）被持续收集并高效分析。全球教育大数据市场规模正在快速扩大：据预测，到 2027 年市场规模将从 2022 年的约 180 亿美元增长至 361 亿美元，年复合增长率约 15%；这些数据爆炸提供了优化教育管理的新视角，但也提出了数据治理和伦理等方面的挑战。本章首先阐述大数据时代教育领域的新机遇，其次分析其面临的挑战，说明学生学习行为分析的重要意义，并明确本书的研究目标与核心问题。最后，结合浙江 A 大学 6090 名学生的学习数据案例，说明本书的研究方法与意义。本书旨在通过大数据挖掘提高学生的学习成效，为个性化教学和精准干预提供理论与实践指导。

1.1　大数据时代带来的教育机遇

在大数据时代背景下，教育领域正经历着教学管理模式的深刻变革。随着 5G、人工智能及物联网等新兴技术的广泛应用，各类教育数据的采集和分析为教育管理带来了前所未有的机遇。全球各国纷纷将大数据视为国家战略的重要组成部分，推动教育体系向智能化、个性化和精准化发展。美国提出了“大数据研究与发展计划”（Li et al., 2013），英国推出了“政府数字化战略”，德国实施了“数字战略 2025”（李依浓 等，2022），中国也在“十四五”规划中明确提出要加强大数据在教育中的应用。这些战略举措反映出各国对大数据在教育领域潜力的高度重视，推动了教育创新的发展进程。各国共同的目标是通过大数据技术优化教育资源配置、提升教育质量，尤其是在学生学习行为分析和学业预警领域取得实质性突破。

大数据在教育领域的应用不仅仅是为了应对日益增长的教育需求，更是为了利用数据背后的深层次价值，为教育管理提供更加科学的决策依据。教育者可以通过数据挖掘和智能分析技术，深刻洞察学生的学习行为、个性化需求及学习成效，从而制定更加精准的教学计划和干预措施（辛浩 等，2021）。以下将详细阐述大数据时代教育领域的四大主要机遇。

1.1.1　个性化教育的实现

大数据技术为个性化教育带来了革命性机遇。通过采集和分析学生在学习过程中产生的多维度数据（如学习行为、成绩轨迹、课堂互动、心理状态等），结合人工智能算法构建学生画像和知识图谱，教育者能够精准识别学生的知识短板、认知特点和学习偏好，从而提供定制化的学习路径与资源推荐，实现“千人千面”的精准教学。例如，国家智慧教育平台基于海量数据生成动态知识图谱，支持学生根据个人进度自主学习；同时为教师提供分层作业设计的科学依据，显著提升教学效率。在评价体系上，大数据支持德智体美劳全要素的纵向跟踪与横向分析，推动综合素质评价改革，使教育从标准化向个性化跃迁。未来，随着教育大模型的深化应用，以及脑机接口、元宇宙等技术的融合，个性化教育将进一步突破时空限制，为因材施教提供更智能化的解决方案。

1.1.2　精准干预的可行性

大数据应用可实现对学生学习状态的实时监测和风险预警。通过对在线学习时长、课堂互动率、作业提交情况等行为指标的连续采集与分析，系统能够预测学生潜在的学业风险并发出预警。例如，基于学习行为数据的预测模型能有效识别出有留级或辍学风险的学生，其预测准确率可超过 85%。结合 AI 技术（如深度强化学习等），可进一步动态调整预警阈值与干预策略，实现“预警-干预”闭环。当系统检测到学生行为异常（如持续低互动或情绪低落）时，可结合 GPA 等结果指标，自动触发个性化辅导或心理支持方案，显著降低挂科率或退学率。

1.1.3　教育资源的优化配置

大数据分析可以揭示不同学生群体的学习困难点，从而优化教育资源分配。

通过关联规则挖掘等技术，管理者可以发现“周均自习时长≥ 10h 且作业及时完成率＞ 90% 的学生群体，其取得高 GPA 的概率高达 78%”。基于此类洞察，学校可调整课程设置和师资投入，例如为潜力学生提供更多高阶课程，对困难科目增加辅导资源，从而提高整体教学效果。

1.1.4　教育研究方法的范式升级

大数据技术推动研究从“小样本抽样调查”向“全样本动态追踪”转型，从“单一变量因果分析”升级为“多维度关联挖掘”。通过整合学习行为、课堂互动、心理测评等全流程数据，结合机器学习与因果推断技术，研究者能够揭示传统方法难以捕捉的隐性规律（如学习路径动态演变、群体认知差异的非线性关联），并实现教育干预效果的实时量化评估。例如，基于千万级学生知识状态图谱的纵向研究，可精准识别教学策略对不同认知风格群体的差异化影响，而自然语言处理技术则能深度解析课堂对话的认知建构机制。这种数据驱动的混合研究范式，不仅提升了教育科学的解释力与预测力，更推动教育理论构建从经验归纳迈向计算实证新阶段。

1.2　教育领域面临的挑战

尽管大数据为教育带来新机遇，但其实际应用过程中也伴随着诸多挑战，主要包括以下几个方面。

1.2.1　数据安全与隐私保护

教育大数据中包含大量学生个人隐私信息（成绩、行为轨迹、心理健康等敏感数据），如何确保数据采集、存储与分析过程的安全性与隐私保护，是首要挑战。《计算机软件保护条例》要求教育机构采集学生数据需获得明确同意，并对数据进行匿名化处理（徐玉麟，2002)。《中华人民共和国数据安全法》也对个人隐私数据保护提出了严格要求（刘桂锋 等，2021)。因此，需要探索加密计算、联邦学习等技术手段，在不泄露个体隐私的前提下实现数据共享与分析，以避免数据泄露引发的安全和法律风险。

1.2.2　数据质量与融合问题

教育数据来源多样（校园管理系统、在线学习平台、智能硬件等），格式和标准各不相同，数据缺失、噪声和异构性普遍存在，对数据整合与分析造成困难。例如，不同院校的成绩评定标准可能不同，导致跨校数据分析的难度增加。数据质量问题直接影响分析结果的可靠性，因此需要采用先进的数据清洗、标准化和融合技术（如 ETL 流程、语义融合等），并引入数据质量评估指标，以提升教育大数据的可用性和准确性。

1.2.3 数据素养的普及不足

教育数据分析要求教师和管理者具备一定的数据素养，包括收集、分析和解读数据的能力。但目前很多学校在大数据教育应用方面缺乏培训和经验，教师普遍缺乏对数据分析结果的理解和利用的能力。研究表明，师生在数据分析技能上的缺陷限制了大数据应用的效果。为此，需要加强对教育工作者的数据素养培训，让他们掌握基本的学习分析方法，能够基于数据做出科学的教学决策，真正实现数据驱动的教育改革。

1.2.4 技术与人文价值的平衡

虽然技术手段能极大提升教育管理效率，但过度依赖算法而忽视人文关怀会带来伦理隐患。如过度精准地预警可能令学生的焦虑情绪增加。研究指出，当预警系统忽视学生的个性和情感需求时，其负面心理效应会凸显。因此，需要在学业预警与干预系统设计中融入伦理和心理辅导机制，保证技术服务于学生的全面发展。在追求效率的同时，必须关注学生的情感反馈与公平性，避免加剧教育的不平等。

1.2.5 算法公平性问题

在教育人工智能系统中，算法偏见同样不可忽视。Kizilcec 等（2013）指出，算法在数据输入、模型训练和结果应用等各环节可能产生歧视性偏见。例如，若训练数据中弱势群体样本不足，模型可能低估其潜力，从而导致不公平的学习机会。因此，应引入算法公平性评估指标，采用去偏方法（如再采样、后处理等）来降低偏见风险，确保 AI 在教育场景中的应用对所有学生群体都具备公平性。

1.2.6 高技术成本与资源消耗

先进模型（如深度学习和 LLM）通常计算代价高昂，设备和运维成本较高。在教育领域推广时，学校需要投入大量硬件资源和技术支持，这对经费和技术实力有限的高校而言是挑战。此外，开发和维护这些系统需要跨学科团队合作，也对教育科研投入提出更高要求。因此，在实际部署时，应权衡技术收益与投入成本，并尝试使用轻量级或开源方案，以降低技术门槛，避免技术壁垒加剧教育资源不均衡问题。

1.3　学习行为分析与精准干预的重要性

学生学习行为是个体学习过程的外显表现，也是影响学习成效的直接因素之一。通过对学习行为的深入追踪和分析，可以揭示潜在的学习模式、认知状态和情感变化，从而为教学提供科学依据。本研究发现，结合行为分析进行个性化教学和干预具有三方面重要意义。

1.3.1　认知建模功能

学生的学习行为数据能够反映其学习投入策略，对理解其认知过程至关重要。例如，在浙江 A 大学 6090 名学生数据的实证分析中，发现学习投入与学习成效存在非线性关系：每周有效学习时长 8 ～ 10h 的学生，其课程通过率比学习时长低于 4h 的学生高 37.2%。这表明存在一个最佳投入区间，过多或过少都会降低学习效率。由此可见，行为分析有助于识别高效学习模式和学习曲线规律，从而为学生提供个性化建议（如避免过度学习或拖延等）。这一发现也验证了认知心理学的学习曲线理论，为教学策略的制定提供了数据支持。通过建立动态认知模型（如应用循环神经网络），教育者可以实时监测学生状态并调整教学节奏，实现“教-学”之间的智能互适（郭鸣谦 等，2024）。

1.3.2　精准干预导向

学习行为分析能够为预警系统提供关键特征，提高对学业风险学生的识别能力。例如，我们发现，当学生的作业迟交次数达到两次且课堂互动率下降超过 20% 时，其不及格风险显著上升 65%。这表明行为序列指标（如作业提交率、参与度）可用作风险预测的有效变量。基于此类特征，我们构建的决策树风险预测模型对学生挂科风险的预测准确率较高，有助于实时监控学习进度并提前定位高风险学生。在教育实践中，基于行为分析的预警机制可以驱动个性化辅导：针对不同学习群体（如“高投入型”或“拖延型”学生），提供差异化的学习建议和支持，使干预更加有的放矢，有效提高整体学习成效。

1.3.3 理论方法突破

本书在研究方法上取得重要创新：应用多维聚类和动态调节机制深化了学习分析模型。首先，通过 K-Means 聚类，我们在学生行为特征空间中识别出五种典型群体（如“被动接受型”“策略探索型”等），建立了多维学生画像。这一多维画像模型突破了单纯成绩评价的局限，帮助教育者从多角度理解学生差异。其次，提出了动态调节的学业预警机制。研究发现，对低活跃群体实施预警干预的效果显著高于对高自律群体实施的预警干预。这意味着预警系统需要结合学生类型进行差异化设计，而非一刀切。通过这些理论与方法的创新，我们不仅为学生行为分析提供了更精准的工具，也为个性化干预探索了新的路径。

学习行为分析、个性化教学和精准干预将随着大数据技术的成熟而发挥更大价值。未来，可进一步结合深度强化学习等技术，实现对学习行为序列的智能模式发现和实时反馈。通过将行为分析与学生认知、情感等画像特征融合，我们可以构建更全面的学习分析模型，为提升学习成效和促进教育公平提供坚实支持。

1.4 研究目标与意义

本书旨在利用大数据挖掘技术深入分析高校学生的学习行为，构建学生画像和学业预警模型，以提高学生的学习成效（学习效率与质量）。学习成效的提升不仅依赖于传统教学和资源投入，更需要依托精准的数据分析与干预实现个性化支持。因此，本书的核心目标是通过数据驱动的方式，揭示学生学习行为、背景信息与学习成效之间的复杂关系，为教育管理提供科学依据和实用指导。

本书的意义体现在以下几个方面。

① 个性化教育策略：通过对不同学生群体的学习行为进行精准分析，本书为教育管理者提供了个性化教学干预的依据。通过识别“高投入型”与“拖延型”等不同学习群体，教育者可以针对不同群体的特点，制定个性化的教学计划，从而提升学生的学习动力和参与度。

② 资源优化配置：基于学业预警系统，本书能够识别出有学业风险的学生群体，从而为学校资源优化配置提供依据。例如，学校可以根据预警系统的反馈，

集中资源为高风险群体提供辅导和心理支持，避免学生因缺乏及时干预而导致学习失败。

③ 教育干预效果提升：通过学业预警系统的持续监控，学校能够实时了解学生的学习状态，并对其进行有效干预。研究发现，学业预警对低活跃群体的干预效果显著高于高自律群体，进一步验证了个性化干预在不同群体中的适应性和有效性。

1.5　研究假设

在理论创新方面，本书提出了一种新的理论框架，旨在探索学习行为、学习成效、学生画像和学业预警之间的作用机制。通过构建“学生画像”这一中介变量和“学业预警”这一调节变量，本书提出了以下假设（H1 ～ H6），学习行为与学习成效的显著影响，以及在此过程中学生画像的中介作用和学业预警的调节作用的重要性。

H1：不同背景变量（性别、年龄、政治面貌、民族、籍贯、家庭经济状况、BMI、学制、高考总分、是否应届生等）在高校学生学习行为与学习成效上存在显著差异。

H2：高校学生的学习行为对学习成效有显著正向影响。

H3：高校学生的学习行为对学生画像有显著正向影响。

H4：高校学生的学生画像对学习成效有显著正向影响。

H5：学习行为对学习成效的影响会通过学生画像路径，学生画像具有中介作用。

H6：学业预警对学习行为与学习成效之间存在调节作用，即学业预警具有调节作用。

这些假设构成了本书理论框架的核心部分，并将在后续的实证分析中得到验证。具体来说，本书通过“学生画像”模型揭示了学生学习行为的不同模式，而“学业预警”模型则在此基础上进一步调节了学习行为与学习成效之间的关系。

图 1-1 展示了这一理论框架，其中各个假设关系被清晰地标示，并结合数据分析的结果为每个假设提供理论依据。图中，“学业预警”作为调节变量，以及“学生画像”对学习成效的中介作用，都得到了详细的展示，帮助读者理解各要素之间的相互关系。

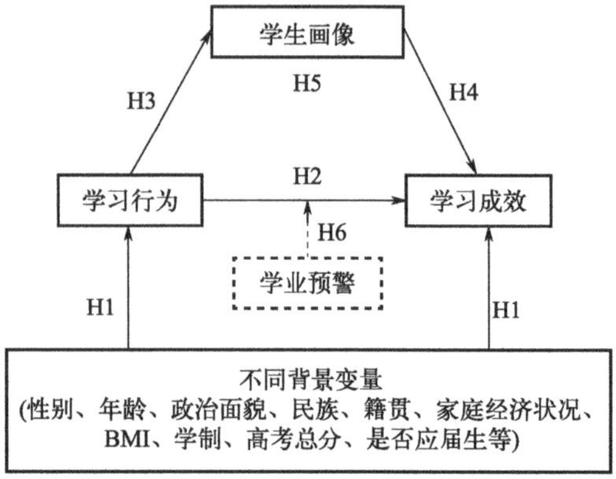

图 1-1　学习行为与学习成效的链式作用机制模型

1.6　研究方法

为验证上述假设，本书将采用以下研究方法进行。

① 样本与差异检验：对浙江 A 大学的 6090 名学生数据进行统计分析，比较不同背景变量下学习行为和学业成效的差异（对应 H1）。

② 相关关系分析：探讨学习行为、学生画像与学业成效之间的关系（对应 H2 ～ H4）。

③ 中介效应检验：验证学生画像在学习行为影响学业成效中的中介作用（对应 H5）。

④ 调节效应检验：检验学业预警在学习行为与学业成效之间的调节作用（对应 H6）。

⑤ 模型构建：基于以上分析，构建学生画像模型和学业预警模型，为实际教育管理提供依据。

在方法创新方面，本书采用了多维数据融合策略，构建了可解释的学生画像模型和学业预警模型。

① 特征提取与降维：通过主成分分析（PCA）和线性判别分析（LDA）等技术，降低数据的维度并增强模型的可解释性，使得最终的模型能够更加直观地反映学生行为特征。

② 聚类分析：利用改进的 K-Means 算法对学生的学习行为进行聚类分析，识别出不同学习群体，如“高投入型”“拖延型”等。通过这种方式，本研究能够根据学生的学习模式，制定有针对性的教育干预措施。

③ 预测建模：采用决策树、支持向量机（SVM）和 XGBoost 等机器学习算法，构建学生挂科风险预测模型。这些算法通过分析学生的学习行为数据，能够准确预测学生的学业风险，进而为教育者提供及时的干预信息。

④ 动态更新机制：为确保模型的实时有效性，本书设计了增量学习机制，确保随着学生学习数据的不断更新，模型能够及时调整，以适应不断变化的学习环境和学生需求。

这些方法的创新使得本书能够基于学生的学习行为数据进行精确的学业预测，并为个性化教育干预提供科学依据。

1.7 研究问题

1.7.1 不同背景变量的差异影响

理论价值：分析不同背景（性别、经济状况、入学考试成绩等）的学生在学习行为和学习成效上的差异，有助于丰富教育理论对个体差异的认识。已有研究表明，不同群体在在线学习参与度和结果上存在显著差异。如研究发现，女性学生通常自我调控能力更强、坚持性更高，在学习结果上具有优势。这些发现从理论上说明，学生背景因素会显著影响学习过程与结果，因此在数据驱动的学习分析框架中应将背景变量纳入考察。

实践意义：研究不同背景学生的学习行为和成效差异，可以为教学实践提供指导依据，促进因材施教。例如，如果发现某类学生（如家庭经济困难群体）学习投入不足且成绩偏低，学校即可针对该群体提供额外支持（学业辅导、学习资源等）。这种基于数据的精准识别有助于保障教育公平，让每个学生都能获得适切帮助，从而整体提升学习成效。

1.7.2 学习行为、学生画像与学习成效的关系

理论价值：厘清学习行为、学生画像（特征）与学习成效之间的相互影响关系，有助于构建学习过程的作用机制模型。学习分析领域的既有研究表明，在线学习行为数据（如点击次数、在线时长、作业提交等）与学习成效密切相关（Romero et al., 2013）。同时，学生画像（如先前知识水平、自我调控能力）也会影响学习行为和成果。例如，基础知识扎实的学生更善于安排学习投入，从而取得更好的成绩。因此，从理论上讲，学习行为是学习成效的直接驱动因素，

而学生画像则作为影响因素可能同时影响学习行为和学习成效。通过梳理这一关系，本书将检验学习行为对学习成效的直接影响，以及学生画像在其中的作用路径。

实践意义：明确行为、画像与成效三者的关系，可以指导教学干预策略的重点。如果学习行为对成效的影响更为显著，则教学应侧重培养学生良好的学习习惯和积极参与度；如果学生画像因素（如学习能力、动机）对成效的决定性更大，则应加强对学生学业能力和心理动机的培养。此外，理解三者关系有助于确定学业风险预测的关键指标：学校可以基于模型及时发现行为异常且有学业风险的学生，进行早期干预。

1.7.3 学生画像模型和学业预警模型的构建

理论价值：构建学生画像与学业预警模型是将大数据技术应用于教育研究的关键步骤。学生画像模型旨在整合多源数据刻画学生特征（学习风格、知识水平、参与模式等）；学业预警模型则利用历史数据预测学业风险或成绩趋势。在理论上，建立这些模型丰富了教育数据挖掘和学习分析的方法论，有助于验证不同特征与学业成功的关联假设。例如，有研究尝试将多元智能和自我调控策略纳入画像，并结合学习分析技术识别与学业表现相关的关键因素。通过模型构建与验证，本书将在理论上探索大数据驱动的学生画像框架和精准预测学业表现的方法，为相关研究提供参考。

实践意义：画像模型和预警模型在实践中具有重要应用价值。一方面，画像模型帮助教师和管理者全面了解学生个体差异，实现对“学生是谁”的全方位认识，进而能够因材施教；另一方面，预警模型可以实时监测学生学业状态，提前识别潜在困难学生，使干预从事后延迟转为提前预防。已有实证研究表明，通过学习成绩变化、缺课率等数据的统计学习，可以预测学生辍学风险并准确预警。成功构建这些模型将为教育管理提供科学工具，提高干预时效和有效性。

1.7.4 学生画像的中介作用

理论价值：探讨学生画像在学习行为影响学习成效过程中是否具有中介作用，可以深化对学习机制的理解。在教育心理学中，学习行为对成效的影响往往通过内在因素（如自我效能感、学习兴趣）等变量起作用。若高质量学习行为提升了学生的自我效能，而更强的自我效能又带来更好的成绩，那么学生画像（如学业自我效能）就在学习行为与学习成效之间发挥桥梁作用。因此，检验学生画像的中介效应可以验证这一“行为-心理-成效”链条的存在，从而丰富学习分析模型。如果中介效应显著，说明预测模型中需纳入相关画像指标以提高解释力。

实践意义：确定中介作用对干预实践也有启示。如果学生画像（如学习态度、自我调节能力）确实在行为影响成效中起中介作用，则干预策略应同时关注表层行为激励和学生特质培养。例如，如果“在线参与度影响成绩”主要通过增强学生的学业自信心来实现，那么教师在激励学生参与的同时，还应采取措施提高他们的自信心和归属感。多管齐下的干预方案才能真正提升学习成效。因此，中介效应的研究将在我们促进积极行为的同时，提供心理和能力上的支持。

1.7.5　学业预警的调节作用

理论价值：研究学业预警机制在学习行为与学习成效间的调节作用，可以为学习分析的介入效果提供理论依据。若预警干预介入后，学习行为对成效的影响程度发生变化，即产生调节效应，则说明及时的教育干预能够改变行为与结果的关系。例如，未受干预时行为较差的学生成绩普遍低下，但通过预警系统的及时辅导，其成绩下滑趋势可能被显著减缓。这一“调节效应”若得到验证，将从理论上说明教育技术介入如何影响学习过程，弥补单纯观察行为-成效关系的不足。它也将为“技术介入是否改变学习过程”这一教育议题提供经验证据。

实践意义：从实践角度看，验证预警的调节作用有助于评估预警机制的价值。如果结果显示预警机制对学习行为和成效关系有正向调节（例如减弱了不良行为对成绩的不利影响），则学校应更积极地建立和完善预警系统，最大化其干预收益。若未发现显著调节效应，也可促使我们反思预警指标的科学性和干预措施的及时性，进一步改进系统设计。此外，此研究还能识别最能从预警中获益的学生群体，帮助优化资源分配，例如优先针对行为偏差严重的学生进行重点帮扶。

1.7.6　基于画像与预警的个性化精准干预

理论价值：将学生画像与学业预警相结合用于个性化教学干预，将推进“精准教育”理论的发展。这一问题整合前述所有要素，旨在构建闭环：从学生画像到风险预警，再到干预实施与效果反馈。这种范式借鉴了精准医学思想，即将教育决策建立在对个体大数据的深度分析的基础上。通过研究如何利用画像特征（如学习风格、知识薄弱点）和预警信号（风险时间点）来制定差异化干预方案，我们可以丰富个性化学习和自适应教学的模型框架。例如，根据画像和预警结果，系统可以为表现较差的学生推送针对性辅导课程，并在最佳时机进行介入，从而验证个性化干预的机制和效果。

实践意义：画像与预警的融合应用对教育实践具有革命性影响。一方面，画像为教师提供了学生“全息镜像”，让因材施教有了数据依据；另一方面，预警为教师提供了介入时机的参考，使干预能够在学生严重掉队前发生。将两者结合进行精准干预，可以实现闭环管理：教师根据画像定制辅导内容，并依据预警信号选择时机介入，通过在线指导、个别面谈、资源推送等方式精准施教，然后再通过数据追踪评估干预效果，持续调整策略。这种数据驱动的精准教学有望显著提高教学效率和学生学习成效（如深度学习预测辍学风险并及时介入，成功降低辍学率）。本书结论将为高校构建智能教学支持系统提供实证依据，推动教育从经验驱动向数据驱动转型升级。

第 2 章　理论基础

本章系统阐述了相关的理论基础，包括大数据挖掘理论、学生学习行为与学习成效关系的理论探讨，以及大数据技术对学生画像和学业预警的支持作用等方面的内容。针对教育场景的特点，本章强调数据驱动的教育决策和精细化管理思路。随着大语言模型（LLM）、深度强化学习和多模态学习分析等新技术的发展，本章还将讨论这些技术在学生画像建模、动态预警和因果分析中的潜在价值与应用场景，为后续章节的模型设计提供理论支撑。

2.1　大数据挖掘理论

2.1.1　数据挖掘的基本概念

数据挖掘（Data Mining，DM）是一门跨领域学科，旨在从大规模数据中自动提取潜在的、有价值的模式和规律。其核心在于对各类海量数据（结构化或非结构化）进行统计分析、机器学习建模和可视化展示，以揭示隐含的知识，支持决策制定。数据挖掘的技术包括分类、聚类、关联规则、序列模式挖掘、回归分析、神经网络、决策树等，这些技术被广泛应用于商业分析、市场营销、风险控制等领域（邵峰晶，2003）。

在教育领域，传统的数据挖掘技术同样可以应用于教学管理和学习评价，例如通过分析成绩数据或在线日志挖掘学习规律。但需要注意的是，教育应用中所涉及的数据类型、分析目标和伦理要求往往与传统商业应用有所不同，需要结合教育学和心理学理论进行融合。

数据挖掘不仅是支撑本书学生画像与学业预警理论模型构建的核心技术基

础，也是实现精准教育干预、推动教育智能化转型的关键工具。

2.1.2 教育数据挖掘的定义与特点

教育数据挖掘（Educational Data Mining，EDM）是将数据挖掘技术专业化应用于教育领域的一个研究方向，其目标在于通过挖掘教育环境中产生的海量异构数据（包括学习行为日志、成绩记录、交互内容等），提取有价值的信息和模式，以支持教学设计优化、学习过程理解以及教学干预等决策（葛道凯等，2012）。与传统的DM相比，EDM有其独特的关注点和挑战，例如更强调过程性分析、个体差异以及教育公平等问题。

具体而言，教育数据挖掘与传统数据挖掘在应用目标、分析对象、数据特性和伦理与隐私要求等方面存在显著差异。如表2-1所示，总结了教育数据挖掘与传统数据挖掘的四项关键对比。

表 2-1 教育数据挖掘与传统数据挖掘的关键差异

差异维度	传统数据挖掘	教育数据挖掘
应用目标	强调商业价值最大化和效率提升，如预测用户需求、优化市场策略	关注个体学习支持与教学优化，强调提升学生学习成效和教育公平
分析对象	多为顾客、产品、交易等商务对象，数据多为结构化的交易日志	以学生、教师、课程和教学资源为核心，重点分析时序性强的学习行为和认知交互过程
数据特性	多使用结构化业务数据，如销售记录、用户日志等；时序性和上下文相关性较弱	包含结构化与非结构化数据（如考试成绩、论坛讨论文本、视频记录、行为日志等），数据具有强时序依赖和语境相关性
伦理与隐私	相对较低的隐私风险要求，数据多为非敏感公共信息	涉及大量学生个人敏感数据（如成绩、心理测试结果等），对数据安全、隐私保护和可解释性要求更高

从表2-1中可见，教育数据挖掘在目标上更关注“如何更好地学习”而非单纯的结果预测；在分析对象上更聚焦于学生这一动态群体；在数据特性上集成了多源学习数据；同时需要应对更高的伦理与隐私要求。基于这些特点，教育数据挖掘强调以数据驱动为导向，结合教育学理论构建可解释的学习分析模型。例如，Baker等（2014）指出，教育数据挖掘不仅关注预测学习成绩，还关注学习策略、动机等复杂变量之间的关系建模。因此，本书在采用教育数据挖掘技术的同时，也注重结合学习过程的相关理论背景展开研究。

2.2 学习行为与学习成效关系的理论探讨

学习过程是个体通过行为实践将知识结构化的动态过程，不同学派对学习行为与学习成效的关系有不同的理论解释。理解这些理论有助于我们构建符合学习认知规律的画像与预警模型。本节分别从建构主义、联结主义以及其他相关理论角度阐述学习行为与学习成效的关联。

2.2.1 建构主义视角下的学习行为分析

建构主义理论认为，学习者通过与环境的互动主动建构知识，而非被动接收信息。皮亚杰（Piaget, 1962）提出的认知发展理论指出，学习者通过同化与顺应不断将新信息融入已有认知结构，从而形成更高级的理解体系。维果茨基（Vygotsky, 1978）进一步强调社会文化情境和协作对学习的重要性，提出了“最近发展区”的概念，认为在教师或同伴的指导下，学习者能够达到超越当前水平的认知发展。

在建构主义框架下，学习行为具有主动性、情境性和个性化等特征，这些特征与最终的学习成效密切相关（Piaget, 1962; Vygotsky, 1978）。具体而言，主动探索和反思能力直接影响对知识的深度理解，学习情境（如课堂氛围、资源环境）决定意义建构的可能性，而个性化路径则确保不同学习者能够依据自身特点获得适切的学习效果。在大数据情境下，这些特征为行为数据分析提供了理论支撑：通过采集学生在不同学习情境中的行为数据（如课堂互动记录、在线练习数据、协作日志等），可以识别不同情境下的主动学习模式，进而建立动态的学生画像与预测模型。

例如，在浙江 A 大学的学习数据分析中，研究发现学习时长与学习成效之间存在最佳投入区间：学习时长过少或过多均会导致课程通过率下降。具体地，分析表明周均有效学习时长 8 ～ 10h 的学生，其课程通过率比学习时间低于 4h 的学生高 37.2%。这一结果体现了“学习投入与认知效果之间的非线性关系”，也与建构主义倡导的“适切难度”思想相一致。通过深入挖掘学习轨迹数据，教育者可以根据学术活动的反馈和学习曲线为学生提供个性化建议，避免过度学习或学习不足带来的负面影响。

2.2.1.1 情境化行为建模

建构主义强调学习行为高度依赖具体情境。在模型构建时，应纳入多元情境信息，如课堂互动日志、实验操作记录和小组合作轨迹等。举例来说，在物理仿真实验课程中，系统可以记录学生在虚拟实验平台上的每一步操作、停留时间和错误尝试次数。研究者可利用决策树或神经网络对这些操作序列进行建模，识别出导致实验成功或失败的关键行为特征（郑秀梅 等，2008）。基于这样的情境化模型，教师和系统可以了解在不同情境下哪些行为最能推动知识建构，从而为优化教学策略提供依据。

2.2.1.2 动态能力评估

建构主义强调认知能力的渐进式发展，需要通过纵向数据跟踪学习者能力演变轨迹。在实际应用中，可以收集学生跨阶段的学习数据（如多次测验成绩、随堂练习和作业完成情况等），分析学习策略调整对知识掌握的影响。假设对一批学生连续三年的在线作业数据进行分析，发现那些不断改进学习方法（如增加反思总结、调整复习计划）的学生，其知识掌握度每年提升 15% ～ 20%，显著高于学习策略保持不变的学生组。这种纵向分析帮助教育者实时把握学生的学习状态和能力发展，为个性化学习路径规划提供数据支持。

2.2.1.3 个性化干预设计

建构主义的“脚手架”理论启示我们应根据学生的实际需求提供差异化支持。借助大数据技术，可以实时监测学生的学习行为特征，一旦发现某学生在某一知识单元出现障碍，系统可自动推荐相应资源。例如，当检测到某学生“某章节作答错误率异常高”时，平台可推送相关的微视频讲解与自适应练习。这种基于行为轨迹的精准识别，使干预措施能够直击学习难点，避免“一刀切”的粗放式干预。

2.2.2 联结主义视角下的学习成效评估

联结主义（Connectionism）基于人工神经网络模型，强调知识是通过神经元之间的联结和激活模式形成的（Hebb, 2005; Rumelhart et al., 1986）。该理论认为学习成效的提升依赖于重复练习和即时反馈的强化过程，即“共同激活的神经元会相互强化”。在教育中，联结主义为学习成效的量化评估和预测提供了理论基础，尤其适用于基于数据挖掘的学业预警和适应性学习系统设计。

2.2.2.1 联结主义视角

重复与反馈：通过反复练习和反馈，学习者强化知识联结。例如，学生在数学课上多次练习某种题型后，其神经元连接强度增加，解题速度和准确性随之提高（Rumelhart et al., 1986）。教育系统可利用这一机制，根据学生的历史表现提供针对性练习和及时反馈。

任务导向：学习成效与具体任务的完成度密切相关。例如，作业完成率、课程通过率等指标可以作为学习成效的客观衡量标准。联结主义认为，只有持续完成任务并得到反馈，相关神经连接才能得以增强。

非线性关系：学习行为与学习成效之间存在复杂的非线性关联。这意味着简单的线性模型往往无法准确描述学习的动态过程，需借助神经网络等非线性工具加以揭示。近期研究利用长短期记忆网络等深度学习模型模拟知识掌握过程，发现持续学习投入与 GPA 之间确实存在显著的非线性关系（Gui et al., 2017）。

2.2.2.2　数据挖掘技术的应用

联结主义理念与数据挖掘技术的结合，使学习成效评估更加精准和动态。例如：

神经网络模型：使用深度学习算法（如卷积神经网络、循环神经网络）模拟学习者知识演进的过程，预测未来的学习成效。通过对学生行为日志进行训练，神经网络可以自动提取影响学习的深层特征。

回归分析：采用多元回归或逻辑回归模型，量化学习行为（如学习时间、作业提交次数）对学习成效的影响关系（Agresti, 2018）。这种统计方法有助于识别最重要的预测因子。

时间序列分析：通过滑动窗口或长短期记忆网络对学习行为和成绩进行时间序列建模，捕捉学习成效的动态趋势（张明焱 等，2022）。例如，将连续多个周次的在线学习时长输入长短期记忆网络模型，可以预测下一周期的考试成绩。

这些方法验证了联结主义理论的教育意义：学生的学习成效增长依赖于持续投入和反馈循环的强化作用。联结主义理论还指导学业预警系统的构建：通过分析学生的学习行为序列，识别其“知识联结薄弱”环节。例如，对学生论坛发帖频率、作业提交间隔等进行序列分析，可以发现在某一知识点上反复出错的模式，此时系统可针对该点提供额外练习来强化相关联结（Macfadyen et al., 2010）。由此，联结主义为预警模型提供了动态调整和个性化干预的理论基础。

2.2.3　其他相关理论

除了建构主义和联结主义外，认知负荷理论（Sweller, 1994）、情感动机理论（例如期望价值理论）等也为学习行为分析提供了补充视角。认知负荷理论指出，学习者的认知资源有限，过多的任务负荷会降低学习效率。该理论在大数据时代可通过对学习活动的复杂度和学习者心理压力的多模态监测（如眼动、心率）进行量化分析，从而优化学习任务的设计。情感动机理论强调学习者的动机和情绪状态对学习成效的影响，通过情感计算方法（如语音情绪识别、表情分析）可以将情绪变量纳入学习画像，为画像增添情感维度。这些理论的引入，使得学习行为分析能够更加全面地反映学习过程，有效指导个性化教学和干预策略的制定。

2.3 大数据技术对学生画像和学业预警的支持作用

2.3.1 学生画像的理论基础

学生画像旨在通过数据挖掘技术整合多源异构数据，对学生个体特征进行全面、立体的描述。该概念源于教育心理学对学生个体差异的关注，早期通过观察和问卷等方式对学生学习风格、认知能力进行定性描述（陈海建 等，2017）。随着大数据技术的发展，学生画像的定义逐步演变为：通过挖掘学生的学习行为、成绩、背景信息等多维度数据，构建个体学习特征的量化模型（顾小清等，2016）。具体而言，学生画像的理论基础包括但不限于以下几个方面。

建构主义理论（Piaget, 1962; Vygotsky, 1978）：强调个体在与环境互动中主动建构知识。学生画像通过分析学生的学习行为数据（如课堂参与频次、资源使用模式等），揭示学生在特定学习环境中的认知建构过程。例如，学生画像可以利用在线学习平台的点击流数据，识别学生对不同知识模块的掌握程度，为个性化资源推送提供依据。

数据驱动决策理论（Davenport et al., 2007）：主张通过数据分析提升决策的科学性。在学生画像构建中，这意味着整合来自多个系统的数据（如教学管理系统、在线学习平台、校园一卡通、学习视频记录等），形成丰富的特征空间。浙江 A 大学的实践中，研究团队收集了包括 9 大类行为和背景数据在内的多源信息，通过数据挖掘构建了包含 200 多个标签的学生画像模型，帮助教育管理者识别出“勤奋型”“被动型”等学习者群体，实现资源配置的精准化。

大数据分析理论：融合机器学习、统计学和人工智能等方法，为画像提供技术支持。随着深度学习和图神经网络的兴起，学生画像逐渐从单一标签评估走向多维能力评估。例如，通过聚类算法将学生划分为不同群体（如“主动探索型”“依赖型”），并结合决策树生成关联规则来解释群体特征。这些方法不仅拓宽了学生画像的维度，也使评价范式从单一成绩向多维能力的评价转变，为个性化教育提供理论依据。

通过以上理论基础的支持，学生画像能够融合学科知识、认知心理和行为数据，为个性化教育提供支撑。同时，最新的大语言模型（LLM）技术在此领域也显示出潜力：大语言模型可以深入分析学生在论坛讨论、论文、作业等非结构化文本中的语言表达，自动评估其知识水平和思维深度，为画像增加语义层面的特征。此外，多模态学习分析研究也表明，通过整合文本、音频、视频和生理传感数据等多种数据模式，可以更全面地洞察学生的学习状态。

2.3.2　学业预警的理论基础

学业预警作为预防性教育管理策略，其核心在于通过数据建模提前识别学业风险并触发干预措施。学业预警的理论基础融合了风险预测理论、教育干预理论，实践中结合机器学习算法，强调定量指标与教学原则的结合（杜小刚等，2011）。主要包括以下方面。

风险预测模型理论：早期的风险预测模型（Risk Prediction Model）通过构建学生学业风险指标体系（如累计挂科学分、缺勤率等）并运用统计方法进行概率预测。例如，可以采用 Logistic 回归模型，利用“前两学期挂科次数”“在线学习时长”等特征预测学生第三学期的留级概率。这类方法为预警提供了基线框架。

机器学习理论：为了提高预测精度和适应复杂的教育场景，学业预警通常采用机器学习算法。常见的分类算法（如决策树、随机森林）可用于学业风险分类，其中决策树具有可视化强和解释性好的优点，可根据信息增益率选取分裂属性，直观展示触发预警的关键因素。例如，决策树模型可以产生类似“缺课次数＞ 5 且作业提交率 <60% →红色预警”的规则，在浙江 A 大学实验中该模型对“是否留级”的预测准确率达 79%。逻辑回归等回归方法则可量化各特征对风险的影响强度，如“CET 成绩＜ 300 分”的学生挂科风险系数为 0.65（正相关）。

集成学习与深度模型：集成学习通过融合多个基础模型来提升预测准确率，如将朴素贝叶斯与 K-Means 聚类结合。最新研究表明，多模型集成在挂科风险预测中可达到 90% 以上的准确率（Amrieh et al., 2016）。深度学习模型（如深度神经网络）也被用于建模复杂关系，能够自动学习高阶特征，适应大规模数据。随着数据量的增长，解释能力强的模型（如结合可解释性方法的集成模型）逐渐成为热点。

教育干预理论：预警模型应与干预策略相配合，避免“一刀切”的管理。分层干预理论倡导根据不同风险水平提供分级支持，例如对“高风险型”学生启动定制辅导，对“潜力型”学生推荐提升计划等。此外，差异化教学理论（Tomlinson, 2014）提出根据学生学习风格、兴趣偏好调整教学策略，可以结合画像中的“学习风格”标签，自动适配资源形式。

综上，学业预警系统的设计需要从理论上结合统计预测与教育学原则，并深度强化学习技术在动态干预中的指导。深度强化学习可以模拟学习者与教学环境的交互过程，通过奖励反馈自动优化学习策略和任务，实现个性化学习路径的动态调整。例如，深度强化学习可以根据学生实时表现调整题目难度，使学习任务始终与学生当前的能力水平匹配，从而提高学习效果。深度强化学习还可用于决策：在多个干预方案中寻找最优序列，使预警系统更具智能化和适应性。

第 3 章　技术与方法

本章旨在系统阐述全书所采用的技术框架与方法路径，为后续实证分析奠定基础。研究基于学生背景、学习行为、学习成效、学生画像、学业预警等五大类共 32 项数据指标；通过标准化数据治理流程确保数据的时效性与完整性；结合深度强化学习与大语言模型等最新人工智能技术，尝试在学生个性化推荐、异常行为识别及学业干预策略设计方面进行前沿探索，旨在推动教育数据挖掘从静态建模迈向智能适应与实时反馈的新阶段。通过对技术路径的全面解析，本章不仅为实证研究提供了操作基础，也为高校教育大数据系统建设提供可复制的技术参考与应用范式。

3.1　学习数据的采集与预处理

3.1.1　数据来源与样本概况

在高校教育大数据环境下，学生学习过程产生海量、多源、异构的数据，这些数据必须先行采集和预处理，才能进行有效的学习行为分析和学业预警建模。本书聚焦浙江 A 大学二、三年级本科生，集成了多种数据源，形成包含成绩、选课、在线行为、借阅记录、消费轨迹、考勤记录等多维特征的数据集。

本书所用数据时间跨度涵盖 2019—2022 年三个学年完整学习周期。数据类型广泛，涵盖了学生三年学习过程中的多维度信息。数据采集覆盖多个教育管理系统与学习行为系统，具体数据源包括：

① 教务管理系统：提供学生基本信息（性别、年龄、民族、政治面貌、

入学成绩、专业）、课程注册情况与学业成绩数据；

② 学习管理平台（LMS）：记录学生在线课程访问、学习时长、课程作业提交、测验成绩、互动日志等；

③ 图书馆管理系统：包括图书借阅次数、借阅书籍类别与时长；

④ 一卡通系统：提供食堂消费、图书馆入馆次数、校园行为轨迹等数据；

⑤ 校园网络平台与物联网终端：捕捉学生在线登录频率、移动设备接入记录与宿舍熄灯时间等。

依据上述多源数据，对全院在校生进行抽样，最终选取二、三年级共 9950 名学生，进一步剔除学制非四年学生和关键数据缺失案例，确定 6090 名样本进行深入分析。统计分析表明，研究样本男女比例（3∶4）合理，年龄主要集中在 20 ～ 23 岁，省籍分布广泛（如图 3-1 所示），具有较好的外部效度和代表性。

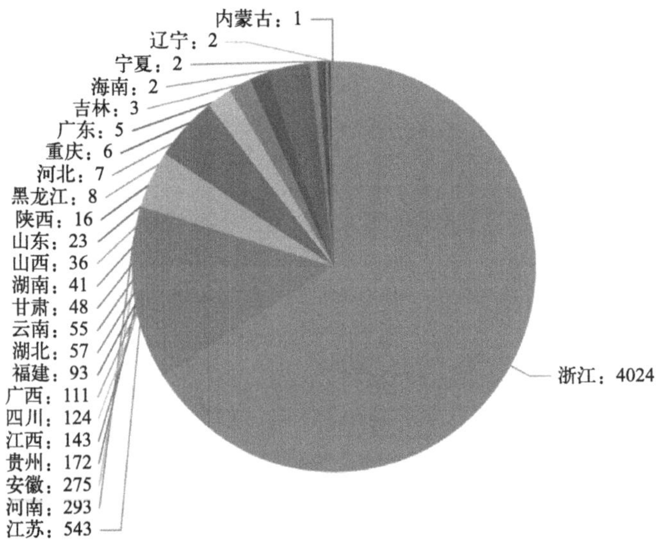

图 3-1　研究对象区域分布图

3.1.2　数据采集流程与工具

为保证数据采集的完整性、时效性和规范化，本书建立了立体化的数据采集体系。首先，通过传感器技术（教室内摄像头、智能课桌、穿戴式设备）实时捕捉课堂行为和生理信号；其次，采用标准化 API 接口与校园各业务系统对接，从教务系统、LMS、图书馆系统等导出数据（如课程成绩、作业提交时间、图书借阅频次等)；再次，利用日志系统记录用户操作轨迹，将在线学习平台和一卡通系统的日志通过 ETL 流程集中入库。整个采集流程设计了严格的规范（数据需求定义、接口协议、数据格式转换和同步策略等），确保不同系统的数据在字段命名、单位和编码上的一致性，例如将各种成绩格式统一映射为百分制。此外，对实时性要求高的数据采用 Kafka 消息队列进行分布式采集，对历史和批量数据采用定时批量拉取的方式，兼顾数据的实时性和处理效率。

3.1.3 伦理审批与隐私保护

学生数据的采集与使用涉及个人隐私保护和伦理规范问题，必须严格按照国家和学校相关规定执行。在本书中，所有学生敏感信息（如学号、姓名、身份证号、家庭住址）在使用前均进行脱敏处理（哈希学号、匿名化地址等），并建立了分级访问权限机制，确保研究人员只能访问与分析必要的字段。在数据采集和处理的每个环节，我们遵循“知情同意”和“最少化收集”原则，只采集研究所需的数据，并明确数据使用目的以获得参与者许可。这些措施与已有文献提出的教育数据使用伦理要求相符，强调在数据采集、存储与共享过程中防止学生隐私泄露。

3.1.4 数据预处理方法

学生数据源头来自多个业务系统，面临着数据编码标准不一致以及部分数据缺失的问题，这使得其不能直接应用于数据分析。因此，对这些原始数据进行预处理以确保其能够满足学习行为分析的要求，并提高数据挖掘结果的质量。

3.1.4.1 数据清洗

为保证数据的完整性，针对各类不确定因素导致的缺失、不完整、有噪声和不一致的数据进行清洗或纠正。针对缺失值数据，本书采用三种处理方法：删除、填充或不处理。根据 80% 法则（García et al., 2015），如果数据缺失比例超过 20%，其挖掘价值会大打折扣，因此，可以考虑删除该变量或者该条样本数据。例如，由于休学、缺考等不确定因素导致的学生成绩被标记为 0 的情况，这类数据应从学籍信息表中清洗掉以确保数据的一致性和完整性。同样地，在处理一卡通交易数据时，也应该删除任何冲正记录或重复记录。对于缺失比例低于 20% 的数据，则可以选择忽略不处理，或通过人工填充。人工填充通常采用该变量的均值、中位数、众数、常量等进行填充，亦可通过推理、回归、分类等算法对缺失值进行预测后填充。数据缺失值清洗方法如图 3-2 所示。

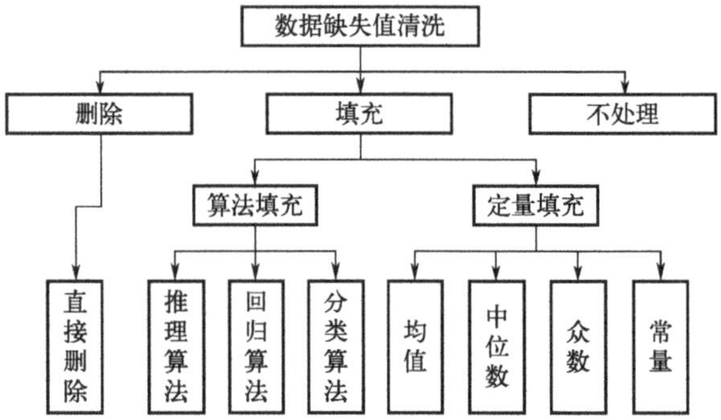

图 3-2 数据缺失值清洗方法图

如图 3-2 所示，本书所用的推理算法为启发式推理算法。如某同学个别课程的成绩为空值时通过启发式推理算法进行清洗，具体步骤如下：

① 如某学生考试成绩缺失的某课程为 C_m，则该学生成绩不为空的其他课程记为 C_i，即 $C=\{C_1, C_2, C_3,\cdots,C_n\}$。

② 整理得到集合 C 中该同学参加考试的每一门课程 C_i 的成绩 S_i，$S=\{S_1, S_2, S_3,\cdots,S_n\}$。

③ 计算集合 C 中每一门课程 C_i 的考试成绩 S_i，集合 S 的中分位数 P_i，得出集合 C 中所有课程对应的分位数集合 P，即 $P=\{P_1, P_2, P_3,\cdots,P_n\}$。

④ 利用集合 P 计算该学生所有课程考试成绩的平均分位数 P_{avg}，计算公式为 $P_{\text{avg}}=\dfrac{P_1+P_2+P_3+\cdots+P_n}{n}$。

⑤ 将该学生的所有课程 C_m 中，除了未完成的课程之外的其他考试成绩进行排名，然后选取排名结果中处于 P_{avg} 分位数位置的成绩，作为该学生缺失课程的考试成绩。

3.1.4.2 数据转换

为了让数据更有分析价值，需要对一些原始数据进行规范化处理及转化，以此有效降低数据挖掘过程的复杂性，同时确保我们获得的数据挖掘成果准确、有效。如学生的一卡通消费数据，每天都有很多笔交易流水记录，则需要以月、学期、学年为周期，统计出学生每月、每学期、每学年的平均消费、消费频次、消费峰值等指标；如图书数据，则需要统计出学生平均每月、每学期、每学年的借书次数、进出图书馆的次数、图书馆学习时长等指标；如学习成绩数据，需要提取出学生每学期、每学年的平均分数、课程通过率等指标。

数据转换的方法有很多，如数据平滑、数据聚集、规范化、离散化等。其中，数据平滑通过分箱、聚类和回归技术来剔除数据中的噪声，以清晰呈现信息；数据聚集旨在为不同层次的数据分析创建数据立方体，通过数据汇总来提供多维度的视角；数据规范化能将数据属性缩小至特定区间内，保证数据处理的一致性，从而提高算法的性能；数据离散化则通过将连续数值属性分割为若干区间，并用区间或概念标签来代替原始值，从而简化数据结构，便于分析处理。

本书将采用下面几种规范化的数据转换方法。

① 最小最大规范化。设 max 和 min 分别为数据集某个字段的最大值和最小值，最小最大规范化就是将这个字段中的值 x 映射到新区间 [$\mathrm{new}_{\mathrm{min}}$，$\mathrm{new}_{\mathrm{max}}$] 中的 x'，这种方法可以消除数据集不同字段之间的量纲，x' 计算公式为

$$x' = \frac{x - \min}{\max - \min}(\mathrm{new}_{\max} - \mathrm{new}_{\min}) + \mathrm{new}_{\min}$$

② 小数定标规范化。通过移动小数点位置来实现对数据集中相关字段的规范化（宋文卓，2021），计算公式为 $x' = \dfrac{x}{10^j}$。其中，j 是 $\max(|x'|<1)$ 的最小整数，x 和 x' 分别表示当前属性及规范化后属性的数值。

如计算平均学分绩点时，将绩点和学分作为衡量学生学习成效的计算单位，找出学业成绩数据中课程成绩对应的绩点，平均学分绩点的计算公式为 $\mathrm{GPAXF}_{\mathrm{avg}} = \dfrac{\sum_{j=1}^{n} \mathrm{GPA}_j \times \mathrm{XF}_j}{\sum_{j=1}^{n} \mathrm{XF}_j}$，其中 GPA_j 代表第 j 门课程的绩点，XF_j 代表第 j 门课程的学分，$\mathrm{GPAXF}_{\mathrm{avg}}$ 代表课程的平均学分绩点。

如计算学生挂科的学分，将每学期结束后挂科的学分累计即可计算出学生挂科总学分。如果在当前学期结束后，学生的挂科学分≥一定数值，则开展学业预警。但数据转换时也要排除特殊情况，如个别学生因未参加首次课程考试，然后在第三学期后参加该课程补考并获得成绩，这种数据转换时需要考虑该学生首次参加考试所在的学期 T，计算公式为 T_c=(BKXN−RXNF)×2+BKXQ+1，其中 T_c 代表该同学首次参加课程考试所在的学期。当 T_c<3 代表该同学首次参加该课程的考试是在前三学期，然后判断该学生该门课程的考试状态，如果该

课程的考试状态属于“挂科”，则将该课程学分加入累积挂科学分中，最终得到每个同学前三学期的累积挂科学分（王刚涛，2021）。

3.1.4.3 数据归约处理

数据归约指的是在保持数据集信息量的基础上，尽可能地简化数据集，以此达到提高数据挖掘效率的目的。在对大规模数据集进行分析和挖掘时，往往会遇到时间消耗过长的问题。数据归约技术旨在创建一个体积更小，但几乎能够保留原始数据完整性或实验效果的数据集，从而提升数据分析和挖掘的效率，且确保运算结果尽可能地相近。对于大规模数据集，采用数据归约不仅能显著缩短数据处理时间、减少数据存储成本，还能提高模型的准确性。本书采用属性归约和数值归约两种方法。

属性归约分为两种：第一种是直接从原始数据集中删除那些与数据挖掘目标相关性较小的字段或者重复字段；第二种是通过降维的方法减少原始数据集中的字段个数，例如在进行数据挖掘之前可以通过主成分分析对数据集进行降维处理（胡小建 等，2017），将原有数据集的字段进行重新整合，形成几个全新的、互不相关的综合变量，同时力求最大程度地保留原始字段中包含的信息。

数值归约公式为 $X'_{ij}=\dfrac{X_{ij}-X_{\min}}{X_{\max}-X_{\min}}$，其中 X_{ij}' 表示该属性归约后的值，X_{ij} 表示未归约的值，$X_{\max}$ 表示该属性所有样本的最大值，$X_{\min}$ 表示该属性所有样本的最小值。

3.1.4.4 数据处理工具

常用的数据处理工具有 Microsoft Excel、Microsoft Access、Microsoft SQL Server、MySQL 等数据或数据库管理软件，各自优缺点如表 3-1 所示。

表 3-1　几种数据处理工具优缺点

项目	Microsoft Excel	Microsoft Access	Microsoft SQL Server	MySQL
介绍	数据处理工具	桌面型关系数据库管理系统	大型关系数据库管理系统	大型关系数据库管理系统
功能	数据筛选、数据查询、数据排序、数据统计、数据格式交换	数据导入、数据导出、多表连接、多表更新、查询统计等	结构化查询语言； C/S 架构体系； 图形化的界面； 跨平台处理数据； 数据安全机制； 数据备份恢复机制	采用分布式文件系统存储数据； 数据存储在结构化二维表中； 表与表之间维持对应的关系

续表

项目	Microsoft Excel	Microsoft Access	Microsoft SQL Server	MySQL
优点	操作简单、可视化界面、呈现方式清晰； 容易识别异常值、缺失值或重复项等	数据分析能力强； 万条及以上数据处理速度快	支持多人同步操作； 操作直观、简单； 内置数据挖掘模块； 数据处理能力强	源码开放； 支持多用户访问； 支持多存储引擎； 兼容性较好； 数据冗余低
缺点	多表聚合无法处理； 记录条数有限制； 处理数据规模小	数据可视化能力弱； 无法共享数据； 无法多人同步处理		

本书使用 Microsoft Access 作为本地化数据预处理工具，进行临时的多表数据处理、校验和统计，再将预处理后的结构化数据导入 MySQL 进行存储，最后从 MySQL 中读取结构化的数据进行运算。

MySQL 自带了许多内置函数，这些内置函数大幅提升了数据的处理效率，如表 3-2 所示（符睿，2021）。

表 3-2　MySQL 内置函数

序号	内置函数	功能
1	Convert（expr, type）	将一个值转化为另一个值
2	Decimal（*P*, *D*）	将 *P* 值小数点后保留 *D* 位（四舍五入）
3	Substr（str,pos,len）	从 str 的 pos 位置开始取 len 个字符
4	Left（str,len）	从 str 的左边取 len 个字符
5	Right（str,len）	从 str 的右边取 len 个字符
6	Count（）	计数
7	Avg（）	求平均
8	Rand（）	随机抽样

3.1.5　数据特征构建与数据质量保障

在获取和清洗数据后，对特征进行科学设计，以提升建模效果。特征包括学生的背景标签（性别、年龄、高考成绩等基本信息）、行为标签（如图书馆停留时长、在线时长、作业提交及时率等）和学业标签（GPA、考试成绩、获奖情况）等多层次指标。根据教育理论与实证研究，提取了涵盖学习投入、社交行为与生活规律等方面的 30 余个变量。同时，建立了数据质量监测机制，在预处理后进行数据一致性和完整性检查，包括重复性检验、分布合理性检验以及与源系统交叉验证以确保数据集准确可靠。若发现数据偏差，则重新回溯原始系统，审查并修正错误，实现预处理流程的闭环优化。

3.1.5.1 学生背景变量

学生背景变量基础信息数据包括编号、学号、性别、出生日期、年龄、BMI、政治面貌、民族、国籍、籍贯、生源地、家庭经济状况、学院、专业、年级、学制、高考成绩及是否应届生等，如表 3-3 所示。学生背景变量数据属于客观数据，特点是相对比较稳定、变动较少，基本按年更新。这些变量均已完成数值化编码，作为控制变量用于后续多元分析。

表 3-3 学生背景变量信息表

编号	数据项子类	数据字段名	数据量 / 条
a0	学号	学号	6090
a1	性别	性别码	6090
a2	年龄	年龄	6090
a3	政治面貌	政治面貌码	6090
a4	民族	民族码	6090
a5	籍贯	籍贯码	6090
a6	家庭经济状况	家庭经济状况码	6090
a7	BMI	BMI 等级	6090
a8	学制	学制	6090
a9	高考成绩	高考总分	6090
a10	是否应届生	是否应届	6090
a11	学院	学院码	6090
a12	专业	专业代码	6090
a13	年级	所在年级	6090

3.1.5.2 学习行为特征

本书主要通过早起情况、晚睡情况、早餐规律情况、午餐规律情况、晚餐规律情况、自习时长、自习次数、平时学习表现、课外活动时长、课外活动次数、CET 考试积极性、师生交互次数、学伴交流次数、协作学习次数、图书借阅次数、资源搜索时长、资源搜索次数、资源下载次数、忘我学习状态及月均消费情况等数据来刻画学习的勤奋度、学习的专注度、活动的参与度、师生交互度等四个方面的情况，如表 3-4 所示。

3.1.5.3 学生学习成效数据

学业成效相关变量包括 GPA、课程挂科情况、是否获得奖学金、是否存

表 3-4　学习行为数据信息表

编号	数据项子类	数据字段名	数据量 / 条
b1	早起情况	早餐记录	1347199
b2	晚睡情况	洗澡热水记录	1347199
b3	早餐规律情况	一卡通流水记录	2694398
b4	午餐规律情况	一卡通流水记录	2694398
b5	晚餐规律情况	一卡通流水记录	2694398
b6	自习时长	图书馆自习时长	574619
b7	自习次数	图书馆自习次数	574619
b8	平时学习表现	学习平时成绩	341545
b9	课外活动时长	志愿者服务时长	69722
b10	课外活动次数	志愿者服务次数	69722
b11	CET 考试积极性	CET 考试学期	11920
b12	师生交互次数	在线讨论及线下谈话次数	219500
b13	学伴交流次数	学生讨论记录	218300
b14	协作学习次数	学生协作学习记录	218300
b15	图书借阅次数	图书借阅记录	15572
b16	资源搜索时长	年均上网时间	19520
b17	资源搜索次数	年均上网次数	19520
b18	资源下载次数	年均上网流量	19520
b19	忘我学习状态	请假记录	7733
b20	月均消费情况	一卡通流水记录	2694398

在学业预警记录等。本书选择赵必华（2017）的学习成效测量指标中学校制度化的学习成绩维度来收集学生学习成效数据，包括学业成绩及获奖情况等指标，如表 3-5 所示。这些变量作为因变量或标签变量参与后续分类与回归建模。

表 3-5　学生学习成效信息表

编号	数据项子类	数据字段名	数据量 / 条
c1	GPA	GPA	341545
c2	学业成绩	学业平均成绩	341545
c3	成绩专业排名	成绩专业排名	341545

续表

编号	数据项子类	数据字段名	数据量 / 条
c4	CET 成绩	CET 成绩	11920
c5	CET 等级	CET 等级	11920
c6	体测成绩	体测总体得分	15572
c7	奖学金次数	获得奖学金等级	2507
c8	奖学金等级	获得奖学金次数	2507
c9	校三好学生次数	校三好学生次数	442
c10	优秀学生干部次数	优秀学生干部次数	442

3.1.5.4 学生画像记录特征

本书主要收集学生对其学生画像的记录数据以及画像前后的平均成绩和GPA 等情况，如表 3-6 所示。

表 3-6 学生画像记录信息表

编号	数据项子类	数据字段名	数据量 / 条
d1	画像登录频率	月均画像登录次数	6090
d2	画像纠错次数	学生对数据画像纠错次数	6090
d3	画像登录次数	登录总次数	6090
d4	画像平均关注时长	画像平均关注时长	6090
d5	画像前平均成绩	画像前平均成绩	341545
d6	画像前 GPA	画像前 GPA	341545
d7	画像后平均成绩	画像后平均成绩	341545
d8	画像后 GPA	画像后 GPA	341545

3.1.5.5 学生学业预警记录特征

本书参考浙江 A 大学学业预警指标来收集学生学业预警记录数据，如表 3-7 所示。

表 3-7 学生学业预警记录信息表

编号	数据项子类	数据字段名	数据量 / 条
e1	第 1 学年预警程度	预警学期、预警程度	1334
e2	第 2 学年预警程度	预警学期、预警程度	1334
e3	最终学业处理等级	处理结果	1334

3.2　数据挖掘算法及其在教育领域的应用

3.2.1　常用数据挖掘方法

教育数据挖掘首先进行统计分析和可视化，以探索数据特征和总体规律：利用描述性统计（频数分布、均值、标准差等）描绘样本特征；采用方差分析（ANOVA）评估不同学生群体均值差异的显著性；运用可视化手段（折线图、柱状图、散点图等）直观展现变量关系和分布，以辅助发现潜在规律。文献指出，可视化有助于揭示复杂数据中的深层模式。在此基础上，开展聚类分析和关联分析，例如：关联规则挖掘可以发现行为特征间的条件关系（如“借阅次数 >5 且论坛发帖 >10 次”与高成效的关联），为标签体系设计提供依据；聚类分析则将学生划分为多个同质性群体，如“高参与型”“拖延型”“风险型”等，为画像类别提供分组依据（Murtagh et al., 2012）。下面将具体介绍这些方法。

3.2.1.1　统计分析

统计分析是指通过各种统计手段深入挖掘和分析大量数据，以提取关键信息并得出结论。统计分析可以分为狭义和广义两种。

狭义的统计分析：专注于根据既定的分析目的，采用比较分析、分组分析、交叉分析以及回归分析等技术手段处理和解释数据，目的是筛选出有价值的信息，并得出具体的统计结果。

广义的统计分析：不仅包含上述狭义定义的内容，还包括基础探索、统计分析和深度挖掘等多个层面。其核心目标是揭示数据中隐含的有用信息、未知规律和模式，为业务决策提供支持。在教育数据领域，数据分析能够总结数据的整体特征，并记录学生的行为（Wu et al., 2002），进而发现数据的分布规律和潜在关联。

① 描述性统计。描述性统计是最基本的统计分析方法，包括频数分析、趋势分析、离散程度分析、分布分析以及可视化统计图形等（马乐陶，2020）。描述性统计有助于发现问题和展示情况，但对于复杂问题的分析有一定的局限性（翟鸣宇 等，2021）。

② 方差分析。方差分析（Analysis of Variance, ANOVA）是一种经典的统计方法，用于评估两个或多个均值之间的显著差异（丁国勇，2019）。

③ 数据可视化。数据可视化是指将样本数据或分析结果转化为图形化表

示形式，使分析结果更加直观易懂。数据可视化的呈现形式有三维立方体、曲线图、散点图和箱线图等（李蒙，2019）。数据可视化提高了数据的可读性和理解性，并能从多个维度揭示复杂的或隐藏的深层次信息（李爱霞，2021）。

3.2.1.2 聚类分析

聚类（Clustering）分析是数据挖掘领域中的关键技术之一，它将实体集合按照相似性特征划分为不同的组或"簇"。聚类的目标是强化簇内部成员之间的相似性，同时降低不同簇之间的相似性，以将大型数据集分解为多个具有高同质性的子集（丁国勇，2019）。在教育领域，聚类分析能够自动收集和分析学习过程中的反馈信息，为在线课程的效果评估提供依据（Retalis et al., 2006），并有可能优化教学内容的质量，特别是在定性评估方面（Vranic et al., 2007）。

聚类算法主要分为四类：基于划分的算法、基于层次的算法、基于密度的算法，以及基于图或网络的算法（Mining, 2006）。本书整理了几种常用聚类算法及其优缺点，如表 3-8 所示。

表 3-8 常用聚类算法及其优缺点

类型	常见算法	优点	缺点
基于划分的算法	K-Means 算法；CLARANS 算法	速度快、计算简便；利用距离度量公式制定中心点；适用于中小规模数据集	需提前确定类别数量
基于层次的算法	BIRCH 算法；CURE 算法；CHAMELEON 算法	对距离度量选择不敏感，不必提前确定类别数目；自上而下汇合，自下而上分裂	不断计算点与点间距离，效率较低
基于密度的算法	DENCLUE 算法；OPTICS 算法；DBSCAN 算法	使用滑动窗口聚类；基于最少点数指标聚类；无需知道簇的数量	依赖滑动窗口半径及最少点法数两个指标
基于图或网络的算法	STING 算法；CLIOUE 算法；WAVE-CLUSTER 算法	优化指标明确；网络中点聚合程度模块化；适用于数据点间连成网的情况	实现较复杂

（1）K-Means 算法

K-Means 聚类算法是由 Macqueen 于 1967 年提出的，也称为 K-均值算法，是目前应用最广泛的一种经典聚类方法。在实施 K-Means 聚类算法时，必须先决定聚类的数量，并对数据的各个维度进行归约化或标准化处理。作为一种迭代的聚类算法，K-Means 算法通过反复迭代将数据集中的元素（样本）分配到不同的簇中。这一过程以数据对象之间的距离作为衡量相似度的标准，旨在确保同一簇内的数据对象之间具有较高的相似性而与其他簇的差异性较大。每次迭代后，数据对象将被明确分配到唯一的簇中，每个簇至少包含一个数据对象，并通过计算簇内数据对象的平均值来确定簇的中心，从而实现聚类目标。K-Means 聚类算法具体流程如图 3-3 所示。

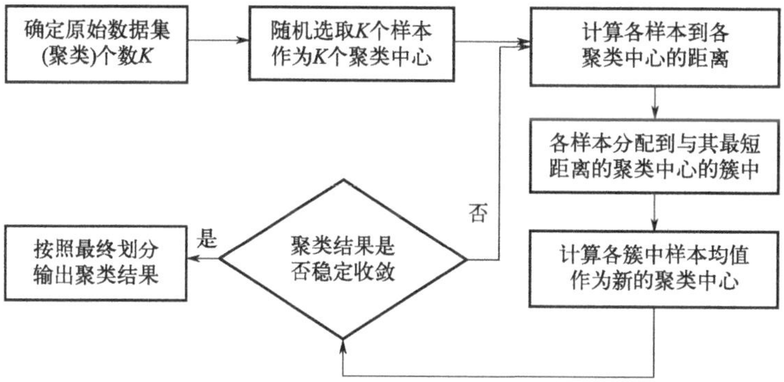

图 3-3　K-Means 聚类算法流程图

K-Means 聚类算法的核心理念就是计算点与点之间的距离来进行聚类，这种距离常采用欧氏距离作为计算标准，公式为 $d(x,y)=\sqrt{\sum_{i=1}^{z}(x_i-y_i)^2}$ 。如二维平面 $a(x_1, y_1)$ 与 $b(x_2, y_2)$ 欧氏距离计算公式为 $d_{ab}=\sqrt{(x_1-x_2)^2+(y_1-y_2)^2}$ ，三维空间 $a(x_1,y_1,z_1)$ 与 $b(x_2,y_2,z_2)$ 欧氏距离计算公式为 $d_{ab}=\sqrt{(x_1-x_2)^2+(y_1-y_2)^2+(z_1-z_2)^2}$ 。假如数据集 S 有 4 个属性 $\{a, b, c, d\}$，S 中两个样本点 $m(x_{a_1}, x_{b_1}, x_{c_1}, x_{d_1})$ 与 $n(x_{a_2}, x_{b_2}, x_{c_2}, x_{d_2})$ 的欧氏距离 $d(x_m, x_n)$ 计算公式为 $d(x,y)=\sqrt{\sum_{i=1}^{z}(x_{mi}-y_{ni})^2}$ （王芳妮 等，2021）。K-Means 聚类算法通过迭代过程，以实现上述公式中的 $d(x_m,x_n)$ 值最小化为最终目标。K-Means 算法优点是计算简单、高效，能够处理的数据量大，且容易解释，还能达到很好的聚类效果（Thilina et al., 2013）。缺点是聚类簇数和初始聚类中心需要人为确认，如果这两个参数选择不合理，容易使算法陷入局部最优（肖逸枫，2018）。近年来，K-Means 聚类算法广泛应用于用户行为分析等领域。在校园学生行为数据的分析中，学生的用餐、购物、取水、沐浴等活动所产生的数据质量较高，非常适合采用该算法进行聚类分析。

（2）DBSCAN 算法

DBSCAN（Density Based Spatial Clustering of Application with Noise）专注于利用空间密度分布将数据集中的应用与噪声进行有效分类。DBSCAN 算法

根据核心对象、密度可达、密度相连等基本理论，针对高密度连接区域，利用数据对象密度相连的最大集合来实现聚类过程。该算法能够识别数据中的离群点，降低噪声数据对聚类结果的影响（徐枫，2019）。

DBSCAN 算法给定数据集 $D=\{x_1, x_2, x_3, x_4\}$，设定距离半径为 ε，点数阈值为 MinPts，具体定义如下（徐枫，2019）：

ε 领域定义：对于 $\forall X_p \in D$，若 X_p 的 ε 领域表示为 $N_\varepsilon(X_p)$，则 $N_\varepsilon(X_p)=\{x_i, D \mid \operatorname{dist}(x_i, x_p) \leqslant \varepsilon\}$，即数据集合 D 中满足到 X_p 的距离小于 ε 的任意样本点 x_i 的集合。

核心对象定义：对于 $\forall X_p \in D$，若 X_p 的 ε 领域内的点的个数大于 MinPts，即 $|N_\varepsilon(X_p)| \geqslant \text{MinPts}$，那么 X_p 是一个核心对象。

直接密度可达定义：对于 $\forall X_p$，$X_q \in D$，假如 X_q 在 X_p 的 ε 领域内，并且 X_p 为核心对象，则称 X_q 由 X_p 直接密度可达。

密度可达定义：对于 $\forall X_p$，$X_q \in D$，假如存在样本序列 $P_1, P_2, \cdots, P_n \in D$，其中 $P_1=X_p$、$P_n=X_q$，并且 P_{i+1} 由 P_i 直接密度可达，则称 X_q 由 X_p 密度可达。

密度相连定义：对于 $\forall X_p$，$X_q \in D$，假如存在 $\forall X_k \in D$，使得 X_q、X_p 均由 X_k 密度可达，则称 X_q 由 X_p 密度相连。

在本书中，通过 K-Means 和 DBSCAN 等聚类算法按照学习行为的相似性将学生分组，识别出具有相似学习模式的学生群体。例如，K-Means 算法通过迭代过程将学生分配到学习行为相似的簇中，而 DBSCAN 算法则能在含有噪声的数据中发现高密度聚类，有效识别出学习行为的异常模式。

3.2.1.3 预测分析

预测分析是指利用已知数据的值来推断未知数据的值，从整合多个预测变量推断单一被预测变量（丁国勇，2019）。在学生教育数据中，通常预测的指标是学生的表现、知识掌握程度或考试分数（Romero et al., 2010）。预测分析包括分类分析和回归分析等方法，预测离散的值使用分类分析，预测连续的值使用回归分析。

（1）分类

分类（Classification）是根据数据中固有的一个或多个特征的定量信息，并根据之前标记过类别的训练集数据，将未标记过类别的测试集数据进行分类。分类分析是一种用于区别不同对象类型的模型。分类分析已广泛应用于风险分析、生物科学、用户行为分析等方面，通过分类模式对新用户的信用等级进行预测（李蒙，2019），还可用于入学教育和咨询，用来帮助提高教育的质量

（Ranjan et al., 2008）。

本书简单概述几种广泛应用的分类分析算法，如决策树及支持向量机等。

决策树（Decision Tree）是一种基于信息增益理论的最常用的数据分类算法。这一算法模型采用树状结构展开，涵盖多个节点和分支。优点在于分类精度高，具有很好的直观性和可解释性，易于理解模型得到的结果，预处理数据也较简单（肖逸枫，2018），缺点是不适合类别较多的数据结构（梁柱，2017）。决策树构建思路和流程如图 3-4 所示。

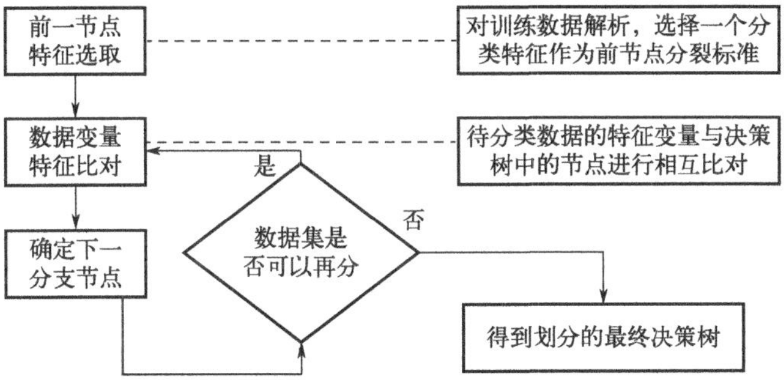

图 3-4 决策树构建流程图

支持向量机（Support Vector Machines, SVM）是由 Vapnik 提出的一个二分类的分类模型（分类器），基本原理是通过核函数、稀疏损失等方法将低维空间中的原始数据映射到近似线性可分的一个高维空间中，然后在高维空间中基于最大间隔原则进行线性分类（李怀建 等，2021）。支持向量机适用于小样本、多维度、非线性的情况，使其在文本分类（Fatima et al., 2017）、字符识别、面部识别、行人检测以及模式识别（朱亚辉 等，2015）等领域都有广泛的应用。对于数据集 $D=\{(x_1,y_1), (x_2,y_2),\cdots,(x_n,y_n)\}$，支持向量机的目标是找到一个超平面 (w,b)，将属于不同类型的样本分开。支持向量即数据集中距离超平面最近的点，两个支持向量到超平面的垂直距离之和，$s=\frac{2}{\|w\|}$ 是两个支持向量之间的几何间隔，如果使几何间隔最大，需要使 $\|w\|^{-1}$ 的值最大，可以转化为使 $\|w\|^2$ 的值最小，因此 SVM 算法的最优化问题公式可以简化为 $\min\limits_{w,b}\frac{1}{2}\|w\|^2 \text{ s.t.} y_i\left(w^{\mathrm{T}}x_i+b\right)-1\geqslant 0,\ i=1,2,\cdots,n$。

（2）回归

回归（Regression）是用于挖掘一个因变量与一个或多个自变量之间的关

系的函数模型，主要用于预测连续值数据、缺失的或难以获得的数据值，而不是离散的类标号。回归分析基本思路是通过建立回归模型来将各变量因素联系起来，体现变量之间相互依赖的定量关系，即“某一个或多个自变量（预测因子）随另一些因变量（目标或被解释变量）的变化有怎样的变化”。回归分析方法主要用于对未来的预测，如对销售额的预测、房价的预测、风险的预测、学生标签的预测等。按照自变量个数，回归分析可以分为一元回归（单个自变量）和多元回归（两个以上自变量）（丁国勇，2019）；按照因变量的个数，可分为简单回归分析和多重回归分析；按照自变量与因变量之间的函数关系，可以分为线性回归分析和非线性回归分析（李蒙，2019）。此外，回归还包括分层回归、逐步回归、岭回归、分组回归、曲线回归、Lasso 回归、PLS 回归、Robust 回归、OLS 回归、两阶段回归、分位数回归等。

本书简要介绍几种常用的回归分析算法，如线性回归、非线性回归、分层回归、逐步回归及逻辑回归等（肖逸枫，2018）。

线性回归（Linear Regression）模型中，因变量的变化与自变量的变化呈线性对应关系。这种模型要求因变量必须是定量数据，而自变量的数量则没有具体限制。此外，为了确保分析的有效性，建议样本量不宜过小，最好是自变量数量的20倍以上。回归分析还要求因变量遵循正态分布。如果数据不符合正态分布，可以通过对数转换等方法进行处理。线性回归公式为 $y = w + w_1x_1 + w_2x_2 + \cdots + w_nx_n$，其中自变量 x 为输入的特征数据，因变量 y 为预测类型。

非线性回归是专门研究非线性关系（即非直接关系）的方法。以小学生增长模型来举例，y 表示小学生数量，x 表示年份（实际数据从第 n 年开始，依次递增），而 b_1、b_2 和 b_3 分别代表三个预设评估参数，exp 表示自然指数，那么学生增长模型公式为 $y = \dfrac{b_1}{1+\exp\left(b_2+b_3+x\right)}$。

分层回归的核心特点是它将变量分为多个层次，用以研究在逐个或逐层增加自变量时，这些增加对回归模型的改变是否具有统计学上的显著意义。在这个过程中，自变量是逐层累加的，目的是观察每次增加一个或多个自变量后，模型的变化是否显著。分层回归经常用于研究中介效应或调节效应。其分析过程包括四个步骤：第一步是分析并描述各模型的拟合情况及 R^2 值的变化；第二步是根据研究需求分析自变量 x 的显著性；第三步是判断自变量 x 对因变量 y 的影响方向及回归系数 B 值（B 值大于 0 表明正向影响，小于 0 则为负向影响）；第四步是结合不同模型的比较，从而得出相关的结论，如中介作用或调节作用的研究结果。

逐步回归分析主要用于研究自变量 x 对因变量 y 的影响关系。在自变量 x 众多的情况下，这种方法能够自动识别出对因变量 y 有显著影响的自变量 x。这种自动识别的分析过程也称为逐步回归分析。若所有的自变量 x 均未显示出显著性，系统将默认给出回归分析的结果。逐步回归分析分为四个步骤：第一步是分析模型情况，包括分析最终被保留和排除的自变量 x，评估模型的拟合情况（如 R^2 值）和共线性问题（如 VIF 值）。第二步是分析自变量 x 的显著性，确保模型中保留的 x 具有显著性，并评估其对因变量 y 的影响。第三步是判断 x 对 y 的影响方向，回归系数 B 值的正负指示了影响的方向。第四步是分析和比较各自变量对因变量 y 的影响程度，通常通过比较回归系数 B 值的大小来实现。

逻辑回归（Logistic Regression）主要用于分析二分类因变量与若干影响因素之间的关系，即根据已知的自变量来预测离散型因变量（肖逸枫，2018）。当因变量包含多个类别时，则需运用多分类逻辑回归来探究这些影响因素与因变量之间的联系。在输入因变量 y（一种分类变量）和自变量 x（$\geqslant 1$ 个定量变量或定类变量）的情况下，逻辑回归会提供回归系数的估计值，并对分类预测效果进行评估。逻辑回归的应用十分广泛，包括购买预测、性别判定、评论的消极性评价、用户偏好分析、信贷风险评估等多个领域。

在本书中，利用 SPSS Modeler 进行预测分析，比如应用线性回归模型来预测学习行为对学习成效的影响，以及通过逻辑回归等算法分析四个变量之间的关系，从而为学生提供定制化的学习干预策略。

3.2.1.4　关联分析

关联分析的基本思路是从数据中发现某些集合频繁出现的模式、相关性或因果结构。关联分析以频繁项集为输入，采用最小置信度作为衡量指标，生成强关联规则，进而利用这些规则进行分析，并最终使用相关性分析筛选出正相关的强关联规则（Zhang et al., 2002）。关联分析的方法包括关联规则挖掘、序列模式挖掘和社会网络分析等。

（1）关联规则挖掘

关联规则挖掘，又称为频繁项集挖掘，是指从大量数据对象中找出频繁出现的项集或属性值之间的关系，并以表达式的形式描述这些有效规则或有趣规则的过程（Rakesh et al., 1994）。关联规则挖掘常被用于深入分析顾客的购买行为，助力有效营销策略的制定。该技术的实施分为以下两个关键步骤（张中杰，2018）：

a. 识别所有频繁项集。筛选出所有出现频次大于等于预定最小支持度的项集。

b. 生成强关联规则。基于频繁项集，设置最小支持度和最小置信度来生成强关联规则。其中，频繁项集是指在所有事务数据集中出现频率不低于人为设定的最小支持度的项集组合。支持度是指一个项集在全部事务数据集中的出现频率。最小支持度是指需要人为设定的一个阈值。项集是指由若干项构成的集合，包含 *k* 个项的项集称为 *k* 项集。

常用的关联规则挖掘算法包括 Apriori 算法、FP-Growth 关联分析算法、AIS 算法和 Eclat 算法（李蒙，2019）。

Apriori 算法：主要利用一种广为人知的迭代搜索方法，即逐层搜索，从项集 k=0 开始，对整个关联数据库中的信息系统进行逐层扫描，向下递进，逐级地搜索生成频繁（k+1）项集（张华霞 等，2018）。Apriori 算法的主要优势在于其原理简单，易于理解和部署，并且对数据集的要求较低，尤其适用于稀疏数据集。然而，它的缺点是可能会生成庞大的候选项集和频繁 *k* 项集，需要多次迭代数据集，效率较低。因此，有些研究者对 Apriori 算法进行了改进，提升了运行效能，缩短了计算时间（单瑞祥，2021）。

在教学行为分析领域，Apriori 算法被应用于大学生行为分析，发现担任班干部对专业成绩排名影响较小，而专业课成绩和综合成绩专业排名之间存在关联关系（张华霞 等，2018）。Apriori 算法主要步骤及流程如图 3-5 所示。

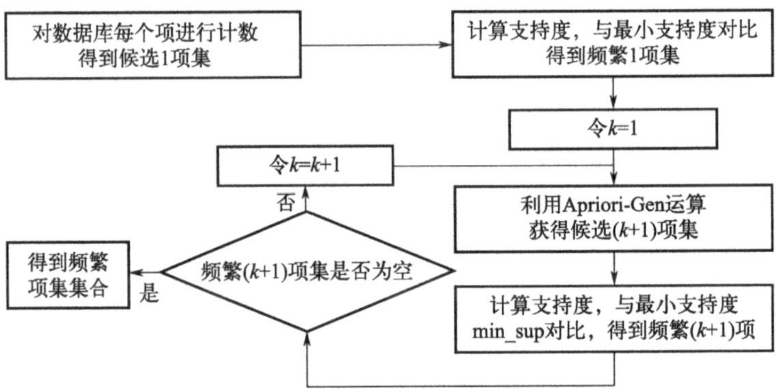

图 3-5　Apriori 算法流程图

（2）序列模式挖掘

序列模式挖掘涉及对数据中的前后序列关系进行分析，处理对象是具有时间顺序的时序数据，旨在揭示目标对象状态的转换情况或识别在特定时间框架内出现频率最高的模式，如相似模式发现、周期模式发现等（李蒙，2019）。

序列挖掘模型要求数据集中各种数据序列的相关性和条目必须在一定的时间内或一定空间上有序地组合排列，输出的各种结果也必须完全是有序的（单瑞祥，2021）。其中最常用的算法是 AprioriAll 算法。

AprioriAll 算法引入了序列的概念，考虑到序列的有序性，在每次对数据库进行扫描操作时，使用一个由前次扫描时产生的较大序列，以此来产生候选序列，计算其支持度。AprioriAll 算法的主要步骤及流程如图 3-6 所示。

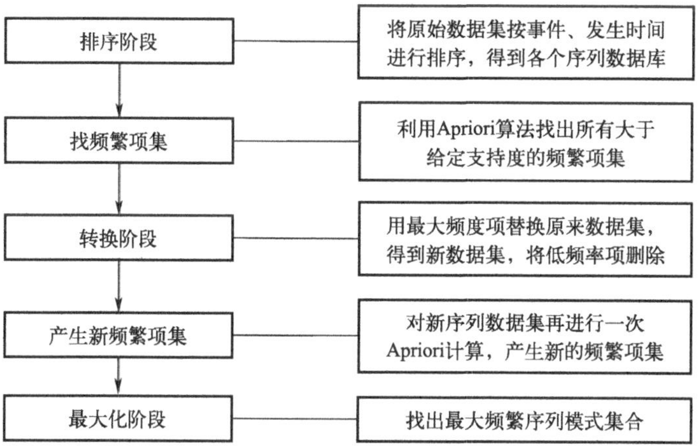

图 3-6　AprioriAll 算法流程图

在本书中，通过 Apriori 算法等关联规则挖掘方法，探索学习行为数据中的频繁模式和关联规则，例如发现是否担任班干部与专业成绩排名存在关联，或者哪些学习活动与高学习成效紧密相关。这有助于构建更加精准的学业预警模型，及时识别潜在的学习问题。

通过上述分析方法的综合应用，本书旨在构建一个全面的学生学习行为分析框架，通过数据驱动的洞察为教育管理者提供决策支持，优化教学内容和学习支持服务，以及建立有效的学业预警模型，以促进学生学习成效的提升。

3.2.1.5　机器学习算法

（1）分类算法

决策树（C4.5 算法）通过信息增益率选择分裂属性，可视化展示风险因素（如“缺课次数 >5 次且作业提交率 <60%”触发红色预警），具有良好的可解释性（Quinlan, 2014）。浙江 A 大学的研究中，决策树模型对“是否留级”的预测准确率达 79%。

（2）回归分析

逻辑回归模型用于二分类问题（如预测是否挂科），通过最大似然估计拟合特征权重，识别关键影响因素（如“CET 成绩 <300 分”与挂科概率的正相关系数为 0.65）（Agresti, 2018）。

（3）集成学习

结合多个基模型（如朴素贝叶斯 +K-means）提升预测精度，如 Marbouti 等（2016）开发的集成模型在期末挂科风险识别中准确率达 92%，显著高于单一算法的准确率。

3.2.1.6 学生画像的技术路径

基于大数据技术的学生画像构建，遵循“数据采集→数据预处理→模型构建→结果可视化”的标准化流程，如图 3-7 所示。

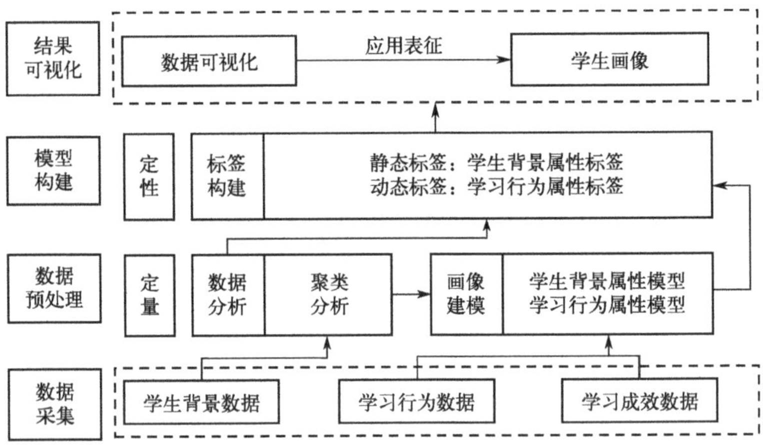

图 3-7 学生画像构建技术框架

数据采集：整合教学系统（课程成绩、作业提交记录）、生活服务系统（一卡通消费、宿舍门禁）、在线平台（学习视频观看记录、论坛互动）等多源数据，形成包含 6090 名学生的 1.71 亿条数据的数据集。

数据预处理：通过数据清洗（缺失值填充、异常值检测）、标准化（Z-score 归一化）与特征工程（如将“月均消费”转换为“消费合理性”标签），确保数据质量。

模型构建：运用 K-Means 聚类算法识别学生群体（如根据自习时长、作业提交及时率将学生分为积极型、中等型、风险型），结合决策树算法构建标签关联规则（如“挂科次数 >3 次”与“图书馆入馆次数 <4 次 / 月”具有强关联性）。

结果可视化：通过词云图、雷达图呈现学生个体画像，如“勤奋型学生”标签云图中“自习时长”“图书借阅次数”等标签字体更显著，直观反映其行为特征。

3.2.2　学生画像场景下的聚类算法应用

聚类算法在学生画像构建中应用广泛，以 K-Means 为代表的划分方法因其计算效率高、实现简单而成为主流。本书采用 K-Means 算法对学生进行行为特征聚类，将学习时长、作业完成度、资源使用频率等指标作为输入，通过迭代寻找聚类中心，将学生自动分为若干行为相似的群组。此过程可在教育管理中发现如勤奋型、中等型、潜在风险型等画像类别，为个性化干预策略的制定提供依据。K-Means 算法的核心步骤包括初始化簇心、分配样本、更新簇心，直至收敛。另外，本书也尝试了层次聚类（如 BIRCH）和密度聚类（如 DBSCAN）等方法，以评估不同算法对学生群体划分的敏感度，并综合选择最优方案（Macqueen, 1967；丁国勇，2019）。

3.2.2.1　K-Means 算法的参数选择与优化

K-Means 算法的关键参数为簇数 K 和初始聚类中心的选择。在学生分类应用中，簇数 K 的确定通常采用肘部法（Elbow Method），通过计算不同 K 值对应的惯性矩（Inertia），选择惯性矩变化曲线的拐点所对应的 K 值作为最优簇数。惯性矩公式为 $\sum_{i=1}^{K}\sum_{x\in C_i}\|x-\mu_i\|^2$，其中，$C_i$ 为第 i 个簇，μ_i 为第 i 簇的中心，x 是簇 C_i 中的样本点，$\|x-\mu_i\|^2$ 表示样本点 x 到簇中心 μ_i 的欧氏距离的平方。例如，在浙江 A 大学学生画像构建中，通过肘部法确定 K=5，将学生分为“积极学习型”“被动参与型”“社交主导型”“网络依赖型”“学业风险型”五大类，每类学生在自习时长、课堂参与度、消费记录等维度表现出显著差异（申民哲，2022）。

初始聚类中心的选择影响算法收敛速度和聚类质量，本书采用 K-Means++ 算法优化初始中心选取，首先随机选择第一个中心，后续中心按距离已选中心最远的点选取，避免局部最优解（Vassilvitskii et al., 2006）。以学生学习行为数据为例，首先随机选取一个学生作为第一个中心，然后计算其他学生到该中心的欧氏距离，选择距离最远的学生作为第二个中心，以此类推，直至选取 K 个中心。

在 K-Means 算法应用中，簇数 K 的选择是关键环节。本书采用肘部法则与轮廓系数相结合的方法来确定最优簇数。肘部法则通过绘制惯性随 K 值变化的曲线，寻找曲线斜率突变的肘部点，该点通常被视为最优簇数的候选（Steinley, 2006）。轮廓系数则从样本点与所属簇的凝聚度及与其他簇的分离度两个维度，衡量聚类效果，取值范围为 [−1,1]，K 值越大表示聚类质量越高（Rousseeuw, 1987）。

以浙江 A 学院学生数据为例，对学习行为数据（如在线学习时长、作业提交次数、课堂互动频率等）进行聚类时，首先计算 K=2 到 K=10 的惯性和轮廓系数。当 K=5 时，惯性曲线出现明显肘部，且轮廓系数达到 0.68，表明此时聚类结果既保证了簇内凝聚度，又具有较好的簇间分离度，因此确定 K=5 为最优簇数。

3.2.2.2 DBSCAN 算法在异常行为识别中的应用

针对含噪声的高维数据，DBSCAN 算法通过定义密度可达和密度相连概念，有效识别离群点。在学生分类中，DBSCAN 可用于检测学习行为异常的学生，如长期缺勤、网络使用异常等。算法参数包括邻域半径 ϵ 和最小点数 MinPts，通过网格搜索法优化参数。例如，在识别“网络依赖型”学生时，设定（欧氏距离阈值）MinPts=5，成功筛选出月均上网时长超过 100h 且图书馆访问次数低于 5 次的学生群体，该群体挂科率较普通学生高 37%（李洒洒，2020）。

3.2.2.3 聚类算法在学生分类中的实际应用案例

浙江 A 大学基于 K-Means 算法将学习数据（课堂参与、在线学习时长）、作息数据（食堂打卡、出入寝室时间）、消费数据（月均消费、超市购物频次）等数据进行聚类分析，成功划分了 5 类学生群体，每类群体具有显著不同的学习行为特征和学习成效并对应具体的教育策略，如表 3-9 所示（Gui et al., 2017）。教育管理者能够针对不同类型的学生设计差异化的干预措施，从而提升整体学习成效（Gui et al., 2017）。

3.2.3 学生画像与学业预警的分类回归方法

在精准画像和风险预测中，分类与回归算法具有重要作用。决策树（如 C4.5 算法）和逻辑回归是常用的监督学习技术，可对学生进行分类预测或关联标签构建。例如，决策树通过信息增益率自动选取特征分裂点，生成可解释的规则模型，使得“缺勤次数 >5 次且课堂参与度 <60%”等组合条件能被直观地识别为高风险特征。在浙江 A 大学的实践中，利用 C4.5 决策树预测学生是否留级，取得了 79% 的预测准确率（Quinlan, 2014；Agresti, 2018）。此外，本书采用逻

表 3-9　K-Means 算法划分 5 类学生群体案例

学生群体	比例	特征	学习成效	教育策略
主动探索型	20.3%	在线学习时长较长（平均每日 2.5h）、频繁访问课程资源、积极参与论坛讨论（每周发帖 5 次以上）	平均 GPA 为 3.75，显著高于其他群体（$p<0.01$）	提供进阶学习资源（如研究型课程、学术竞赛），鼓励其担任学习小组组长
依赖型	35.7%	学习行为高度依赖教师指导（如依赖作业答案、频繁提问）、自主学习时间较短（平均每日 1.2h）	平均 GPA 为 3.12，处于中等水平（$p<0.05$）	加强自主学习能力培养（如学习计划制定、时间管理培训），提供协作学习机会
被动接受型	28.9%	学习行为以被动接受为主（如仅完成必修课程、缺乏主动探索）、在线学习时长较短（平均每日 0.8h）	平均 GPA 为 2.68，显著低于其他群体（$p<0.01$）	设计互动式教学活动（如翻转课堂、小组讨论），激发学生学习主动性
间歇性学习型	10.1%	学习行为呈现间歇性（如周期性集中学习、长时间停顿）、在线学习时长波动较大（标准差为 1.8h）	平均 GPA 为 2.95，波动较大（$p<0.05$）	提供学习进度跟踪工具（如学习日志、进度提醒），帮助其建立规律的学习习惯
高风险	5.0%	学习行为异常（如长期未登录学习平台、作业提交延迟率高）、在线学习时长极短（平均每日 0.3h）	平均 GPA 为 2.21，处于高风险状态（$p<0.01$）	启动学业预警，安排一对一辅导和心理支持

辑回归模型对是否挂科等二分类问题进行建模，通过最大似然估计量化各行为特征的影响权重。如发现英语等级成绩与挂科概率呈显著负相关。为进一步提升预测精度，集成学习方法（如 Bagging、Boosting）也被引入，将朴素贝叶斯与 K-Means 等基模型组合，显著优化了风险预测效果。Marbouti 等（2016）研究表明，期末挂科预测准确率可提升至 92%。总体而言，这些算法在学习分析中被广泛应用，以支持对学生类别的判定和学业的风险度量。

3.2.4　预测建模在学业预警中的实现

基于上述方法，本书构建了学业风险预测模型。核心框架包括特征工程、算法训练和模型评估等环节。通过统计分析选取影响挂科或退学的关键指标（如 GPA、课程成绩、签到率等），在已标注的历史数据上训练分类模型，并进行交叉验证以评估其性能。文献指出，多种机器学习技术在学业预警中已得到验证，可有效预测学生成绩和行为。本书在决策树和逻辑回归的基础上，还探索了随机森林和 XGBoost 等方法，提高了模型的稳定性和准确性。为了保证模型的实时性，设计了增量更新机制：随着新学期数据的不断输入，模型进行在线训练更新，使预警能够动态适应学生的行为变化。经过模型调优，本书的预测系统能够为即将出现学业困难的学生提前预警，为精准干预争取时间。

3.3 综合技术框架设计

3.3.1 高校学生学习行为分析的技术体系

结合前述方法，本书提出了“数据层-分析层-算法层-应用层”四层结构的学生学习行为分析平台。平台架构如图 3-8 所示，各层功能如下。

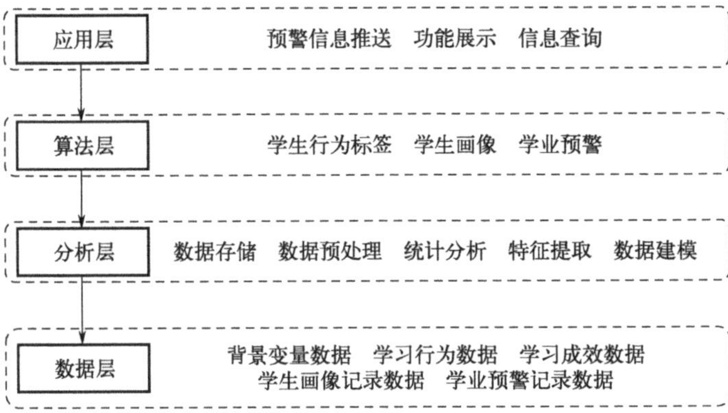

图 3-8 学生学习行为分析平台整体架构图

3.3.1.1 数据层

通过与学校各业务系统的接口对接，接收并存储多源异构数据，包括学生背景、学习行为、学业成绩及画像记录等。该层还对原始数据进行初步统计分析，提取关键字段并存入数据仓库，为后续分析提供支撑。

3.3.1.2 分析层

完成数据预处理和特征提取的工作。采用清洗（插补缺失、剔除异常）、编码和归一化等技术保证数据质量一致。随后根据研究需求执行特征构建和变量筛选，将数据转换为模型可用的输入。

3.3.1.3 算法层

部署数据挖掘算法进行模型训练和预测，包括聚类分析生成学生画像模型、分类回归模型进行预警预测等。这一层是核心数据处理模块，利用前述 K-Means、决策树等算法构建知识模型。

3.3.1.4　应用层

以可视化报告和应用服务的形式呈现分析结果。系统生成动态学生画像界面，通过词云、雷达图等直观展示学生个性标签；同时推送学业预警信息和干预建议，为教师和管理者提供决策支持。这一层实现了从数据分析到用户展示的闭环，确保分析成果能够落地并指导教育实践。

本框架结合了多模态数据融合、动态自适应模型、跨部门协同机制等设计理念，突破传统经验驱动模式，构建起数据驱动的精准干预体系。如参考文献所述，教育大数据分析需要整合教学、生活、社交等多种数据源，从多个维度刻画学生。在实践中，小规模学院可以基于开源工具实现轻量化版本，聚焦核心指标（如出勤率、作业率等）进行预警；研究型高校则可扩展到科研活动数据，实现“学业-科研”双维度预警。该平台框架对我国高校具有可复制性，为后续推广提供了技术参考。

3.3.2　平台实现

基于底层的学生画像模型和学业预警模型，开发出学习行为数据决策平台，整体界面如图 3-9 所示，学生画像如图 3-10 所示。

图 3-9　学习行为数据决策平台界面图

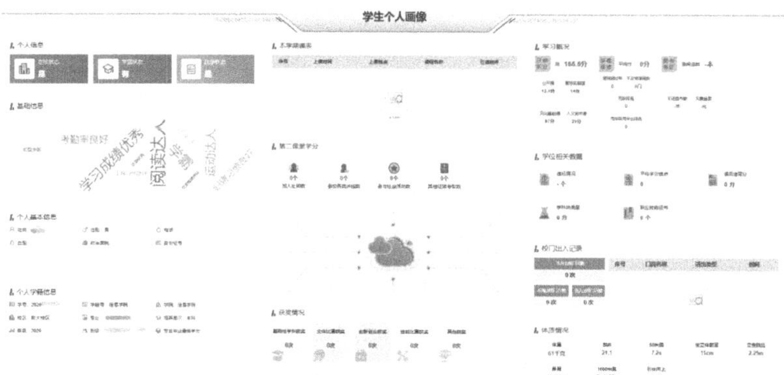

图 3-10　学生画像图

3.4 数据分析结果

3.4.1 统计分析结果

本书针对 6090 份正式样本详细考察了性别、年龄、政治面貌、民族、籍贯、家庭经济状况、学制、高考成绩和是否为应届生等多个背景变量。结果显示，性别方面男生占样本的 43.88%，女生占 56.12%；年龄分布上，20 岁以下的占 0.61%，20 ～ 23 岁的占 98.93%，23 岁以上的占 0.46%；BMI 指标上，低体重者占 9.59%，正常者占 72.2%，超重者占 12.4%，肥胖者占 5.81%；政治面貌上，群众占 14.88%，中共党员占 29.41%，共青团员占 55.71%；民族构成方面，汉族占 97.13%，少数民族占 2.87%；籍贯上，浙江占 66.08%，江苏占 8.92%，非苏浙籍的占 25%；在家庭经济状况上，正常状况的占 91.02%，一般困难的占 4.42%，特别困难的占 4.56%；年级分布上，大二学生占 48.6%，大三学生占 51.4%；学制方面，4 年制占 95.01%，5 年制占 4.99%；高考成绩上，≤ 473 分占 20.00%，474 ～ 519 分占 20.95%，520 ～ 531 分占 20.56%，532 ～ 540 分占 20.10%，541 以上占 18.39%；高考应届生占 91.07%，非应届生占 8.93%。统计结果如表 3-10 所示。

表 3-10　样本背景变量统计表

名称	选项	频数	百分比 /%
年龄	＜ 20	37	0.61
	20 ～ 23	6025	98.93
	＞ 23	28	0.46
政治面貌	群众	906	14.88
	共青团员	3393	55.71
	中共党员	1791	29.41
民族	汉族	5915	97.13
	少数民族	175	2.87
家庭经济状况	正常	5543	91.02
	一般困难	269	4.42
	特别困难	278	4.56

续表

名称	选项	频数	百分比 /%
BMI	低体重	584	9.59
	正常	4397	72.20
	超重	755	12.40
	肥胖	354	5.81
学制	4 年制	5786	95.01
	5 年制	304	4.99
高考总分	≤ 473	1218	20.00
	474 ～ 519	1276	20.95
	520 ～ 531	1252	20.56
	532 ～ 540	1224	20.10
	≥ 541	1120	18.39
是否应届生	是	5546	91.07
	否	544	8.93
籍贯	浙江	4024	66.08
	江苏	543	8.92
	河南	293	4.81
	云南	55	0.90
	四川	124	2.04
	江西	143	2.35
	贵州	172	2.82
	安徽	275	4.52
	广西	111	1.82
	福建	93	1.53
	湖北	57	0.94
	陕西	16	0.26
	山西	36	0.59
	山东	23	0.38
	湖南	41	0.67
	甘肃	48	0.79
	宁夏	2	0.03
	黑龙江	8	0.13
	河北	7	0.11
	广东	5	0.08
	重庆	6	0.10
	海南	2	0.03
	其他	6	0.10

3.4.2 描述分析

为了验证各变量数据的准确性和可靠性，对样本数据进行描述性统计分析，结果如表 3-11 所示。本次采用最大似然估计方法来分析数据，为确保具有鲁棒性的标准误差，建议各变量的偏度值应控制在绝对值 2 以内，峰度值在 7 以内（张伟豪 等，2020）。除了“优秀学生干部次数”变量，其他变量在偏度和峰度方面均符合上述标准，因此在后续分析时需要去除“优秀学生干部次数”变量。

表 3-11 各变量之描述性统计表（N=6090）

名称	平均值		标准差	偏度		峰度	
	统计	标准误差	统计	统计	标准误差	统计	标准误差
优秀学生干部次数	0.030	0.004	0.281	8.759	0.031	83.028	0.063
校三好学生次数	0.230	0.006	0.472	1.994	0.031	5.495	0.063
奖学金等级	0.360	0.007	0.543	1.152	0.031	0.320	0.063
奖学金次数	0.370	0.007	0.575	1.554	0.031	3.043	0.063
早起情况	1.47	0.011	0.799	1.236	0.033	−0.292	0.066
自习次数	1.51	0.010	0.792	1.095	0.031	−0.520	0.063
图书借阅次数	1.51	0.010	0.792	1.095	0.031	−0.520	0.063
第 2 学年预警程度	1.58	0.022	0.756	0.881	0.073	−0.712	0.145
最终处理等级	1.60	0.245	0.548	−0.609	0.913	−3.333	2.000
第 1 学年预警程度	1.60	0.021	0.773	0.815	0.067	−0.860	0.134
忘我学习状态	1.70	0.006	0.457	−0.891	0.031	−1.206	0.063
画像纠错次数	1.79	0.009	0.739	0.354	0.031	−1.107	0.063
晚睡情况	1.99	0.011	0.818	0.012	0.033	−1.504	0.066
CET 等级	2.03	0.027	2.137	0.199	0.031	−1.703	0.063
CET 成绩	2.08	0.016	1.226	0.497	0.031	−1.428	0.063
CET 考试积极性	2.35	0.009	0.709	−0.618	0.031	−0.826	0.063
画像平均关注时长	2.76	0.017	1.336	0.239	0.031	−1.097	0.063
画像登录频率	2.81	0.018	1.424	0.123	0.031	−1.254	0.063
画像登录次数	2.81	0.018	1.424	0.123	0.031	−1.254	0.063
月均消费情况	2.83	0.020	1.578	0.024	0.031	−1.547	0.063
体测成绩	2.84	0.019	1.417	0.215	0.033	−1.281	0.065
课外活动次数	2.87	0.019	1.456	0.082	0.031	−1.358	0.063

续表

名称	平均值		标准差	偏度		峰度	
	统计	标准误差	统计	统计	标准误差	统计	标准误差
晚餐规律情况	2.88	0.027	1.507	0.010	0.044	−1.439	0.088
自习时长	2.90	0.019	1.514	−0.003	0.031	−1.446	0.063
学伴交流次数	2.92	0.018	1.439	0.019	0.031	−1.358	0.063
课外活动时长	2.92	0.019	1.472	0.014	0.031	−1.378	0.063
协作学习次数	2.93	0.018	1.417	0.085	0.031	−1.257	0.063
午餐规律情况	2.93	0.025	1.400	0.061	0.044	−1.288	0.088
早餐规律情况	2.95	0.025	1.412	0.029	0.044	−1.296	0.088
成绩专业排名	2.97	0.018	1.416	0.036	0.031	−1.307	0.063
师生交互次数	2.98	0.018	1.406	0.008	0.031	−1.285	0.063
画像前 GPA	2.99	0.018	1.422	−0.002	0.031	−1.310	0.063
画像后 GPA	3.00	0.018	1.413	0.007	0.031	−1.295	0.063
画像前平均成绩	3.00	0.018	1.415	0.000	0.031	−1.301	0.063
GPA	3.00	0.018	1.415	0.000	0.031	−1.301	0.063
学业成绩	3.00	0.018	1.414	0.000	0.031	−1.300	0.063
资源下载次数	3.00	0.018	1.414	0.000	0.032	−1.300	0.064
画像后平均成绩	3.00	0.018	1.415	0.000	0.031	−1.301	0.063
平时学习表现	3.00	0.018	1.414	0.000	0.031	−1.300	0.063
资源搜索时长	3.00	0.018	1.414	0.000	0.032	−1.300	0.064
资源搜索次数	3.00	0.018	1.414	0.000	0.032	−1.300	0.064

3.4.3 共同方法偏差检验分析

首要步骤是对样本数据进行适宜性检验，以确认其是否满足因子分析的前提条件，检验的具体结果如表 3-12 所示。其中，KMO 为 0.725，大于 0.6，满足因子分析的前提要求，意味着数据可用于因子分析研究。另外，数据通过 Bartlett 球形度检验（$p<0.05$），说明样本数据适合进行因子分析。最后采用 Harman 单因素检验法，对 52 个数据项进行统一的探索性分析，结果如表 3-13 所示，共析出 17 个主成分，其特征值均超过 1。这些分析中，第一个因子对变异的解释量仅为 16.342%，远低于 40% 的临界标准（Podsakoff et al., 2003）。因此，可以认为本研究中不存在共同方法偏差的问题。

表 3-12　样本 KMO 和 Bartlett 的检验数据

KMO 值		0.725
Bartlett 球形度检验	近似卡方	74546.626
	df	1326
	p 值	0.000

表 3-13　样本数据总方差解释表（*N*=6090）

成分	初始特征值			提取载荷平方和		
	总计	方差百分比	累积 /%	总计	方差百分比	累积 /%
1	8.498	16.342	16.342	8.498	16.342	16.342
2	3.919	7.537	23.879	3.919	7.537	23.879
3	3.482	6.696	30.575	3.482	6.696	30.575
4	2.935	5.644	36.219	2.935	5.644	36.219
5	2.561	4.924	41.143	2.561	4.924	41.143
6	2.462	4.735	45.877	2.462	4.735	45.877
7	2.126	4.089	49.966	2.126	4.089	49.966
8	1.906	3.665	53.631	1.906	3.665	53.631
9	1.700	3.270	56.901	1.700	3.270	56.901
10	1.496	2.877	59.778	1.496	2.877	59.778
11	1.444	2.777	62.555	1.444	2.777	62.555
12	1.361	2.616	65.172	1.361	2.616	65.172
13	1.262	2.427	67.599	1.262	2.427	67.599
14	1.164	2.238	69.837	1.164	2.238	69.837
15	1.124	2.161	71.998	1.124	2.161	71.998
16	1.055	2.029	74.026	1.055	2.029	74.026
17	1.003	1.928	75.955	1.003	1.928	75.955
18	0.948	1.823	77.777			
19	0.917	1.764	79.541			
20	0.885	1.701	81.243			
21	0.858	1.649	82.892			
22	0.708	1.362	84.254			
23	0.698	1.342	85.596			
24	0.682	1.312	86.908			
25	0.640	1.231	88.139			

续表

成分	初始特征值			提取载荷平方和		
	总计	方差百分比	累积 /%	总计	方差百分比	累积 /%
26	0.618	1.189	89.328			
27	0.544	1.045	90.373			
28	0.507	0.975	91.349			
29	0.490	0.943	92.292			
30	0.475	0.914	93.206			
31	0.464	0.892	94.098			
32	0.394	0.758	94.856			
33	0.367	0.706	95.562			
34	0.337	0.648	96.209			
35	0.311	0.597	96.807			
36	0.287	0.552	97.359			
37	0.246	0.474	97.833			
38	0.230	0.442	98.274			
39	0.184	0.354	98.628			
40	0.148	0.285	98.914			
41	0.120	0.230	99.144			
42	0.104	0.201	99.345			
43	0.089	0.171	99.516			
44	0.072	0.138	99.654			
45	0.064	0.122	99.777			
46	0.043	0.084	99.860			
47	0.038	0.073	99.933			
48	0.035	0.067	100.000			
49	7.018×10^{-16}	1.350×10^{-15}	100.000			
50	4.903×10^{-16}	9.428×10^{-16}	100.000			
51	2.615×10^{-16}	5.028×10^{-16}	100.000			
52	-5.243×10^{-18}	-1.008×10^{-17}	100.000			

3.4.4 差异分析

差异分析是以假设检验的方法来判断这些因素是否确实能解释资料的变动。本书假设之一是“不同背景变量在高校学生学习行为及学习成效上有显著差异”，背景变量包括性别、年龄、BMI、政治面貌、民族、籍贯、家庭经济状况、学制、高考成绩及是否应届生等。本书以独立样本t检定和单因子ANOVA检验不同背景变量在学习行为及学习成效的差异，如达显著水平，根据检定变异数同构型显著与否情况，选用不同检定方法，进一步进行事后比较（Post-hoctest），本书中为采用效果量（Size of Effect）ηp^2值表示自变量对因变量解释强度的统计量，根据Cohen标准，$0.01<\eta p^2<0.058$为小效果，$0.058<\eta p^2<0.138$为中效果，$0.138<\eta p^2$为大效果。

3.4.4.1 不同性别大学生在各变量的差异比较

通过独立样本t检定检验不同性别大学生的学习行为及学习成效的差异情形，结果如表3-14所示。在学习行为方面，不同性别有显著差异，$t=-22.55$，$p=0.000$。即性别影响大学生的学习行为。在学习成效方面，不同性别有显著差异，$t=-38.38$，$p=0.000$。即性别影响大学生的学习成效。

表 3-14 不同性别对各变量的差异统计表

向度	平均值（标准偏差）		自由度	t	p	效应值（d）
	男性（N=2672）	女性（N=3418）				
学习行为	24.703（4.761）	27.528（4.917）	6088	−22.55	0.000	0.582
学习成效	6.938（3.076）	9.958（3.022）	6088	−38.38	0.000	0.991

综上所述，性别在学习行为及学习成效变量均有显著差异，即大学生的学习行为及学习成效受不同性别的影响。

在学习行为变量各维度上，不同性别样本对于晚睡情况、早餐规律情况、午餐规律情况、晚餐规律情况、自习时长、自习次数、平时学习表现、课外活动时长、课外活动次数、CET考试积极性、师生交互次数、学伴交流次数、资源搜索时长、资源搜索次数、资源下载次数、月均消费情况、图书借阅次数等方面呈现出显著差异，而对于早起情况、协作学习次数、忘我学习状态等方面没有显著差异。其中，在晚睡情况、早餐规律、午餐规律、晚餐规律等方面，男生的平均值明显高于女生的平均值；在自习时长、自习次数、平时学习表现、课外活动次数、CET考试积极性、师生交互次数、学伴交流次数、资源搜索时长、资源搜索次数、资源下载次数、月均消费情况、图书借阅次数等方面，女生平均值明显高于男生平均值。

在学习成效变量各维度上，不同性别样本对于GPA、学业成绩、CET成绩、CET等级、体测成绩、奖学金次数、奖学金等级、校三好学生次数均呈现出显著差异。其中，男生在成绩专业排名方面的平均值明显高于女生，而在其他方面均明显低于女生。

3.4.4.2 不同年龄大学生在各变量的差异比较

以单因子 ANOVA 检验不同年龄大学生的学习行为及学习成效的差异情形，结果如表 3-15 所示。在学习行为方面，不同年龄没有显著差异，$F(2, 6087)=0.818$，$p=0.441$，$\eta p^2=0.000$。即年龄并不能影响大学生的学习行为。在学习成效方面，不同年龄有显著差异，$F(2, 6087)=5.024$，$p=0.007$，$\eta p^2=0.002$，即不同年龄段能够影响学习成效。本研究先进行同质性检验，经检验后 p 值大于 0.05，未达显著水平，代表各样本属于变异数同质，于是事后比较采用 LSD 检定，经事后比较发现，年龄＜20 与年龄 20～23 和年龄＞23 在学习成效方面没有显著差异，而年龄 20～23 与年龄＞23 之间存在显著差异，如表 3-16 所示。

表 3-15 不同年龄对各变量的差异统计表

变量	变异来源	*SS*	*df*	*MS*	*F*	*p*	ηp^2
学习行为	年龄	41.686	2	20.843	0.818	0.441	0.000
	误差	155117.492	6087	25.483			
	总和	155159.177	6089				
学习成效	年龄	115.618	2	57.809	5.024	0.007	0.002
	误差	70044.616	6087	11.507			
	总和	70160.233	6089				

表 3-16 不同年龄对各变量的事后比较表

变量	事后比较法	年龄（I）	年龄（J）	I–J	*SE*	*p*
学习成效	LSD	＜20	20～23	0.06038	0.55939	0.914
		＜20	＞23	2.09556*	0.84969	0.014
		20～23	＞23	2.03518*	0.64256	0.002

综上所述，年龄在学习行为变量没有显著差异，即大学生的学习行为不受年龄的影响；而年龄在学习成效方面有显著差异，即大学生的学习成效受年龄的影响。

3.4.4.3 不同 BMI 大学生在各变量的差异比较

以单因子 ANOVA 检验不同 BMI 大学生的学习行为及学习成效的差异情形，结果如表 3-17 所示。在学习行为方面，不同 BMI 有显著差异，$F(3, 6086)=21.063$，$p=0.000$，$\eta p^2=0.010$。即 BMI 能影响大学生的学习行为，且有较小的效果。在学习成效方面，不同BMI有显著差异，$F(3, 6086)=157.397$，$p=0.000$，$\eta p^2=0.072$，即BMI能影响大学生的学习成效，且有一定的效果。本研究先进行同质性检验，经检验后学习行为和学习成效的p值均小于0.05，达显著水平，代表各样本方差不齐，于是事后比较采用邓尼特（Dunnett）T3检验，结果如表3-18所示。经事后比较发现，在学习行为方面，除了低体重组和超重组没有显著差异外，其余组在学习行为方面均有显著差异，说明不同BMI能显著影响学习行为；在学习成效方面，各组的p值均小于0.05，均有显著差异，说明不同BMI能显著影响学习成效。

表 3-17　不同 BMI 对各变量的差异统计表

变量	变异来源	*SS*	*df*	*MS*	*F*	*p*	ηp^2
学习行为	BMI	1594.407	3	531.469	21.063	0.000	0.010
	误差	153564.771	6086	25.232			
	总和	155159.177	6089				
学习成效	BMI	5051.498	3	1683.833	157.395	0.000	0.072
	误差	65108.735	6086	10.698			
	总和	70160.233	6089				

表 3-18　不同 BMI 对各变量的事后比较表

变量		BMI（I）	BMI（J）	I−J	*SE*	*p*
学习行为	Dunnett T3	低体重	正常	−0.90090*	0.23001	0.001
		低体重	超重	−0.30221	0.28143	0.864
		低体重	肥胖	1.01575*	0.31764	0.009
		正常	超重	0.59870*	0.19479	0.013
		正常	肥胖	1.91666*	0.24421	0.000
		超重	肥胖	1.31796*	0.29315	0.000
学习成效	Dunnett T3	低体重	正常	−1.10456*	0.14018	0.000
		低体重	超重	0.73685*	0.17096	0.000
		低体重	肥胖	1.98914*	0.19057	0.000
		正常	超重	1.84141*	0.12144	0.000
		正常	肥胖	3.09370*	0.14778	0.000
		超重	肥胖	1.25229*	0.17725	0.000

综上所述，BMI对学习行为及学习成效变量有显著影响，即大学生的学习行为及学习成效会受不同BMI的影响。

在学习行为变量各维度上，不同 BMI 样本在晚睡情况、午餐规律情况、晚餐规律情况、自习时长、自习次数、平时学习表现、课外活动时长、课外活动次数、CET 考试积极性、资源搜索时长、资源搜索次数、资源下载次数、图书借阅次数等方面呈现出显著差异。其中，BMI 指标为“肥胖”的大学生在晚睡情况、晚餐规律情况、资源搜索时长、资源搜索次数、资源下载次数等方面的平均值明显高于其他组别，在自习时长、自习次数、平时学习表现、课外活动时长、课外活动次数、CET 考试积极性、图书借阅次数等方面明显低于其他组别；BMI 指标为“正常”的大学生在自习时长、自习次数、平时学习表现、课外活动时长、课外活动次数、CET 考试积极性、图书借阅次数等方面的平均值明显高于其他组别，在晚睡情况、午餐规律情况等方面明显低于其他组别；BMI 指标为“低体重”的大学生在午餐规律情况等方面的平均值明显高于其他组别，在晚餐规律情况、资源搜索时长、资源搜索次数等方面明显低于其他组别。

在学习成效变量各维度上，不同 BMI 样本对于 GPA、学业成绩、成绩专业排名、CET 成绩、CET 等级、体测成绩、奖学金次数、奖学金等级、校三好学生次数等方面均呈现出显著差异，具体如图 3-11 所示。

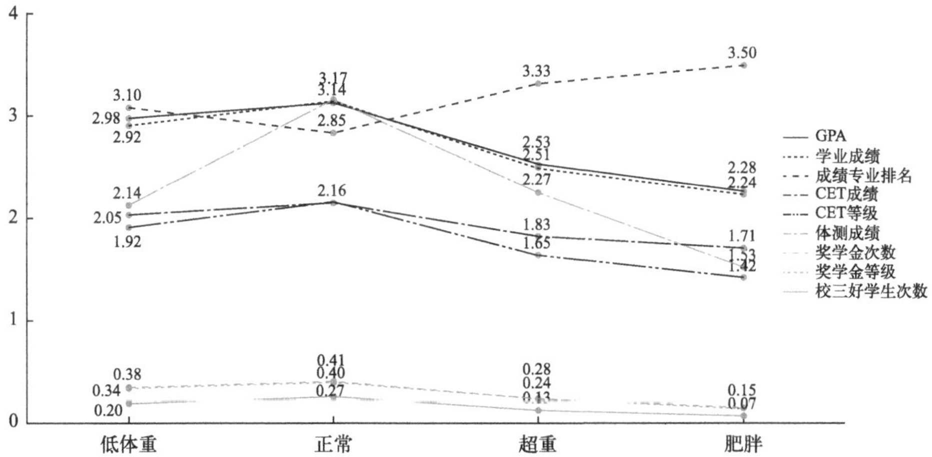

图 3-11 不同 BMI 大学生之学习成效分析图

3.4.4.4 不同政治面貌大学生在各变量的差异比较

以单因子 ANOVA 检验不同政治面貌的大学生的学习行为及学习成效的差异情形，结果如表 3-19 所示。在学习行为方面，不同政治面貌有显著差异，$F(2, 6087)=93.869$，$p=0.000$，$\eta p^2=0.030$。即政治面貌能影响大学生的学习行为。在学习成效方面，不同政治面貌亦存在显著差异，$F(2, 6087)=116.684$，$p=0.000$，$\eta p^2=0.037$，即政治面貌能影响大学生的学习成效。本研究先进行同质性检验，经检验后学习行为的 p 值大于 0.05，未达显著水平，代表各样本属于变异数同质，于是事后比较采用 LSD 检验。学习成效的 p 值小于 0.05，达显著水平，代表各样本属于变异数同质，于是事后比较采用 Dunnett T3 检定，结果如表 3-20 所示。经事后比较发现，在学习行为方面，各组的 p 值均小于 0.05，均有显著差异，说明不同政治面貌能显著影响学习行为；在学习成效方面，各组的 p 值均小于 0.05，均达到显著差异，说明不同政治面貌能显著影响学习成效。

表 3-19 不同政治面貌对各变量的差异统计表

变量	变异来源	*SS*	*df*	*MS*	*F*	*p*	ηp^2
学习行为	政治面貌	4642.288	2	2321.144	93.869	0.000	0.030
	误差	150516.889	6087	24.728			
	总和	155159.177	6089				
学习成效	政治面貌	2590.543	2	1295.271	116.684	0.000	0.037
	误差	67569.691	6087	11.101			
	总和	70160.233	6089				

表 3-20 不同政治面貌对各变量的事后比较表

因变量	事后比较法	政治面貌（I）	政治面貌（J）	I−J	*SE*	*p*
学习行为	LSD	群众	共青团员	−1.35603*	0.18596	0.000
		群众	中共党员	0.55205*	0.20273	0.006
		共青团员	中共党员	1.90808*	0.14524	0.000
学习成效	Dunnett T3	群众	共青团员	−1.90110*	0.12498	0.000
		群众	中共党员	−1.43061*	0.13401	0.000
		共青团员	中共党员	0.47049*	0.09562	0.000

如表所示，政治面貌在学习行为及学习成效变量上存在显著差异，即大学生的学习行为及学习成效会受不同政治面貌的影响。

在学习行为变量各维度上，不同政治面貌样本在早起情况、晚睡情况、早餐规律情况、午餐规律情况、晚餐规律情况、自习时长、自习次数、平时学习表现、课外活动时长、课外活动次数、CET 考试积极性、学伴交流次数、资源下载次数、月均消费情况、图书借阅次数、忘我学习状态等维度上均呈现出显著差异。其中，在早餐规律情况、午餐规律情况、晚餐规律情况、自习时长、平时学习表现、忘我学习状态等方面，中共党员的平均值明显高于其他组别；在早起情况、自习次数、课外活动时长、课外活动次数、CET 考试积极性、学伴交流次数、图书借阅次数等方面，共青团员的平均值明显高于其他组别；在晚睡情况、资源下载次数、月均消费情况等方面，群众组的平均值明显高于其他组别。不同政治面貌样本对于师生交互次数、协作学习次数、资源搜索时长、资源搜索次数 4 个维度没有显著差异。

在学习成效变量各维度上，不同政治面貌样本对于 GPA、学业成绩、成绩专业排名、CET 成绩、CET 等级、体测成绩、奖学金次数、奖学金等级、校三好学生次数全部呈现出显著差异，具体如图 3-12 所示。

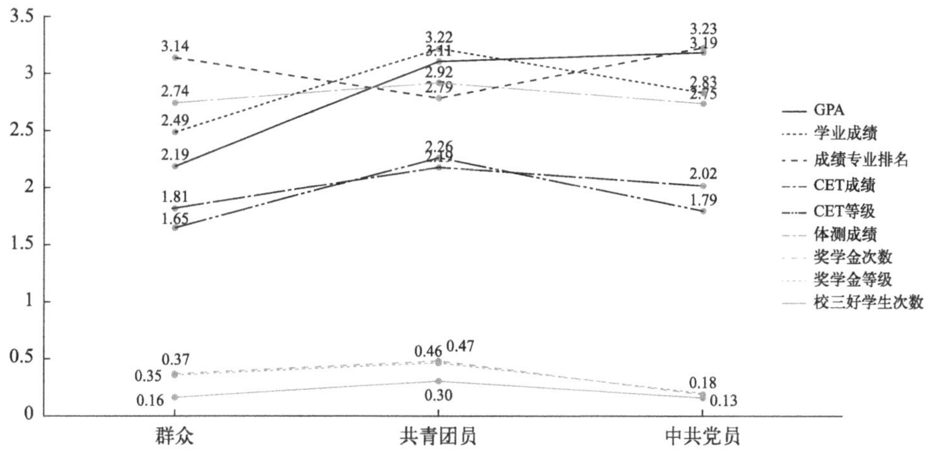

图 3-12 不同政治面貌大学生之学习成效分析图

3.4.4.5 不同民族大学生在各变量的差异比较

以独立样本 T 检验不同民族大学生的学习行为及学习成效的差异情形，结果如表 3-21 所示。在学习行为方面，t=1.135，p=0.256，大于 0.05，表明不同民族没有显著差异，即民族不能影响大学生的学习行为。在学习成效方面，t=3.865，p=0.000，小于 0.05，达到显著水平，不同民族有显著差异。

表 3-21 不同民族对各变量的差异统计表

项目	平均值（标准偏差）		df	t	p
	汉族（N=5915）	少数民族（N=175）			
学习行为	26.30（5.04）	25.86（5.38）	6088	1.135	0.256
学习成效	8.66（3.39）	7.66（3.27）	6088	3.865	0.000

综上所述，民族在学习行为方面没有显著差异，在学习成效方面有显著差异，即大学生的学习行为不受不同民族的影响，学习成效受不同民族的影响。

而在学习行为变量各维度上，不同民族样本对于晚餐规律情况、平时学习表现、课外活动时长、课外活动次数、CET 考试积极性、师生交互次数、学伴交流次数、忘我学习状态等维度呈现出显著差异。其中，在晚餐规律情况、平时学习表现、课外活动时长、课外活动次数、CET 考试积极性、师生交互次数、学伴交流次数、忘我学习状态等方面，汉族的平均值明显高于少数民族的平均值。不同民族样本对于早起情况、晚睡情况、早餐规律情况、午餐规律情况、自习时长、自习次数、协作学习次数、图书借阅次数、资源搜索时长、资源搜索次数、资源下载次数、月均消费情况等维度未表现出显著差异。

而在学习成效变量各维度上，除了 GPA 维度不会表现出显著差异外，不同民族样本对于学业成绩、成绩专业排名、CET 成绩、CET 等级、体测成绩、奖学金次数、奖学金等级、校三好学生次数等维度均呈现出显著差异，且汉族的平均值均明显高于少数民族的平均值。

3.4.4.6 不同籍贯大学生在各变量的差异比较

以单因子 ANOVA 检验不同籍贯大学生的学习行为及学习成效的差异情形，结果如表 3-22 所示。在学习行为方面，不同籍贯有显著差异，$F(22, 6067)=2.615$，$p=0.000$，$\eta p^2=0.009$，达到显著水平，即籍贯能影响大学生的学习行为。在学习成效方面，不同籍贯存在显著差异，$F(22, 6067)=6.586$，$p=0.000$，$\eta p^2=0.023$，即籍贯能影响大学生的学习成效。

表 3-22　不同籍贯对各变量的差异统计表

变量	变异来源	*SS*	*df*	*MS*	*F*	*p*	ηp^2
学习行为	籍贯	1457.421	22	66.246	2.615	0.000	0.009
	误差	153701.757	6067	25.334			
	总和	155159.177	6089				
学习成效	籍贯	1636.387	22	74.381	6.586	0.000	0.023
	误差	68523.847	6067	11.295			
	总和	70160.233	6089				

综上所述，籍贯在学习行为和学习成效方面均存在显著差异，即大学生的学习成效和学习行为均受不同籍贯的影响。

在学习成效变量各维度上，不同籍贯样本对于 GPA、学业成绩、成绩专业排名、CET 成绩、CET 等级、体测成绩、奖学金次数、奖学金等级、校三好学生次数全部呈现出显著差异，具体如图 3-13 所示。

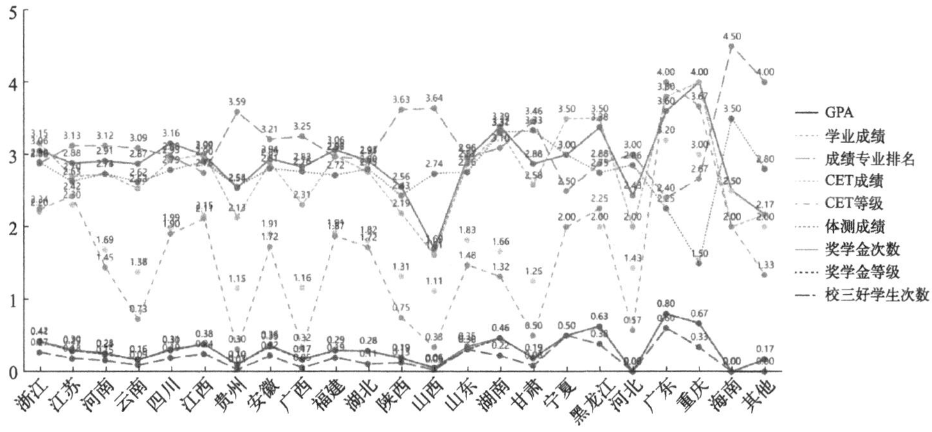

图 3-13　不同籍贯大学生之学习成效分析图

3.4.4.7　不同家庭经济状况大学生在各变量的差异比较

以单因子 ANOVA 检验不同家庭经济状况的大学生的学习行为及学习成效的差异情形，结果如表 3-23 所示。在学习行为方面，不同家庭经济状况有显著差异，$F(2, 6087)=52.134$，$p=0.000$，$\eta p^2=0.017$。即家庭经济状况能影响大学生的学习行为。在学习成效方面，不同家庭经济状况没有显著差异，$F(2, 6087)=4.574$，$p=0.010$，$\eta p^2=0.002$，未达到统计学上的显著水平。本研究先进行同质性检验，经检验后学习行为和学习成效的 p 值大于 0.05，未达显著水平，代表各样本属于变异数同质，于是事后比较采用 LSD 检验，结果如表 3-24 所示。经事后比较发现，在学习行为方面，各组的 p 值均小于 0.05，均有显著差异，说明不同家庭经济状况能显著影响学习行为；在学习成效方面，正常组和特别困难组的 p 值小于 0.05，而正常组与一般困难组和一般困难组与特别困难组的 p 值大于 0.05，说明“正常”和“特别困难”的家庭不能影响学习成效，“正常”与“一般困难”

表 3-23　不同家庭经济状况对各变量的差异统计表

变量	变异来源	*SS*	*df*	*MS*	*F*	*p*	ηp^2
学习行为	家庭经济状况	2613.077	2	1306.539	52.134	0.000	0.017
	误差	152546.100	6087	25.061			
	总和	155159.177	6089				
学习成效	家庭经济状况	105.285	2	52.643	4.574	0.010	0.002
	误差	70054.948	6087	11.509			
	总和	70160.233	6089				

表 3-24　不同家庭经济状况对各变量的事后比较表

因变量	事后比较法	家庭经济状况（I）	家庭经济状况（J）	I−J	*SE*	*p*
学习行为	LSD	正常	一般困难	−1.27844*	0.31255	0.000
		正常	特别困难	−2.93471*	0.30768	0.000
		一般困难	特别困难	−1.65627*	0.42815	0.000
学习成效	LSD	正常	一般困难	−0.29811	0.2118	0.159
		正常	特别困难	−0.57138*	0.20851	0.006
		一般困难	特别困难	−0.27327	0.29014	0.346

和“一般困难”与“特别困难”不能显著影响学习成效，即家庭经济状况对学习成效有部分影响。

综上所述，家庭经济状况在学习行为中有显著差异，即大学生的学习行为受不同家庭经济状况的影响。家庭经济状况在学习成效变量上有显著差异，即大学生的学习成效受不同家庭经济状况的影响，但在正常和特别困难的家庭中影响较大，在正常和一般困难与一般困难和特别困难家庭中影响不大。

在学习行为变量各维度上，不同家庭经济状况样本对于午餐规律情况、晚餐规律情况、课外活动次数、月均消费情况等维度呈现出显著差异。其中，在午餐规律情况、晚餐规律情况、课外活动次数、月均消费情况等方面，一般困难大学生的平均值明显高于特别困难大学生的平均值。不同家庭经济状况样本对于早起情况、晚睡情况、早餐规律情况、自习时长、自习次数、平时学习表现、课外活动时长、CET 考试积极性、师生交互次数、学伴交流次数、协作学习次数、资源搜索时长、资源搜索次数、资源下载次数、图书借阅次数、忘我学习状态等维度不会表现出显著差异。

而在学习成效变量各维度上，家庭经济状况样本对于学业成绩、CET 成绩、CET 等级、奖学金次数、奖学金等级、校三好学生次数等维度呈现出显著差异。其中，在学业成绩、奖学金次数、奖学金等级、校三好学生次数等方面，“正常”家庭的大学生明显低于其他组别，而在 CET 成绩、CET 等级方面，“正常”家庭的大学生明显高于其他组别。不同家庭经济状况样本对于 GPA、成绩专业排名、体测成绩 3 项不会表现出显著差异。

3.4.4.8　不同学制大学生在各变量的差异比较

以独立样本 T 检验不同学制大学生的学习行为及学习成效的差异情形，结果如表 3-25 所示。

表 3-25 不同学制对各变量的差异统计表

项目	平均值（标准偏差）		*df*	*t*	*p*
	四年制（*N*=5786）	五年制（*N*=304）			
学习行为	26.25（5.08）	27.02（4.23）	350.415	−3.056	0.002
学习成效	8.63（3.40）	8.70（3.30）	6088	−0.337	0.736

在学习行为方面，不同学制有显著差异，t=−3.056，p=0.002。即学制能影响大学生的学习行为。在学习成效方面，不同学制没有显著差异，t=−0.337，p=0.736，即学制不影响大学生的学习成效。

综上所述，学制对学习行为有显著差异，但对学习成效没有显著差异，即大学生的学习行为受不同学制的影响，学习成效不受不同学制的影响。

3.4.4.9 不同高考成绩大学生在各变量的差异比较

以单因子 ANOVA 检验不同高考成绩大学生的学习行为及学习成效的差异情形，结果如表 3-26 所示。在学习行为方面，不同高考成绩有显著差异，$F(4, 6085)$=23.579，p=0.000，ηp^2=0.018。即高考成绩能影响大学生的学习行为。在学习成效方面，不同高考成绩有显著差异，$F(4, 6085)$=107.885，p=0.000，ηp^2=0.066，即高考成绩能影响大学生的学习成效。本研究先进行同质性检验，经检验后学习行为和学习成效的 p 值均小于 0.05，达显著水平，代表各样本属于变异数不同质，于是事后比较采用 Dunnett T3 检定，结果如表 3-27 所示。经事后比较发现，在学习行为方面，除了≤ 473 和 520 ～ 531 组、≤ 473 和 532 ～ 540 组与 520 ～ 531 组和 532 ～ 540 组没有显著差异外，其余组项在学习行为方面均有显著差异，说明不同高考成绩大部分情况下能显著影响学习行为；在学习成效方面，各组的 p 值均小于 0.05，均有显著差异，说明不同高考成绩能显著影响学习成效。

表 3-26 不同高考成绩对各变量的差异统计表

变量	变异来源	*SS*	*df*	*MS*	*F*	*p*	ηp^2
学习行为	高考成绩	2762.804	4	690.701	27.579	0.000	0.018
	误差	152396.373	6085	25.045			
	总和	155159.177	6089				
学习成效	高考成绩	4646.180	4	1161.545	107.885	0.000	0.066
	误差	65514.053	6085	10.766			
	总和	70160.233	6089				

综上所述，高考成绩在学习行为及学习成效变量有显著差异，即大学生的

学习行为及学习成效受不同高考成绩的影响。

在学习行为变量各维度上，不同高考成绩样本在早起情况、晚睡情况、早餐规律情况、午餐规律情况、晚餐规律情况、自习时长、平时学习表现、课外活动时长、课外活动次数、CET 考试积极性、资源搜索时长、资源搜索次数、资源下载次数、月均消费情况、忘我学习状态等维度呈现出显著差异。其中，在早起情况、自习时长、平时学习表现、课外活动时长、课外活动次数、CET 考试积极性等方面，高考成绩 540 分以上的学生的平均值明显高于其他组别；在晚睡情况、资源搜索时长、资源搜索次数等方面，高考成绩 520 ～ 531 分的学生的平均值明显高于其他组别。不同高考成绩样本在自习次数、师生交互次数、学伴交流次数、协作学习次数、图书借阅次数等维度上存在显著差异。

表 3-27　不同高考成绩对各变量的事后比较表

因变量	事后比较法	高考总分（I）	高考总分（J）	I–J	*SE*	*p*
学习行为	Dunnett T3	≤ 473	474 ～ 519	−0.71209*	0.20091	0.004
		≤ 473	520 ～ 531	0.1892	0.20438	0.987
		≤ 473	532 ～ 540	0.06536	0.20477	1.000
		≤ 473	≥ 541	−1.64783*	0.1988	0.000
		474 ～ 519	520 ～ 531	0.90129*	0.20332	0.000
		474 ～ 519	532 ～ 540	0.77745*	0.20372	0.001
		474 ～ 519	≥ 541	−0.93574*	0.19771	0.000
		520 ～ 531	532 ～ 540	−0.12384	0.20714	1.000
		520 ～ 531	≥ 541	−1.83703*	0.20123	0.000
		532 ～ 540	≥ 541	−1.71319*	0.20164	0.000
学习成效	Dunnett T3	≤ 473	474 ～ 519	−0.53262*	0.12908	0.000
		≤ 473	520 ～ 531	−1.12442*	0.13177	0.000
		≤ 473	532 ～ 540	−1.51141*	0.13186	0.000
		≤ 473	≥ 541	−2.61129*	0.1314	0.000
		474 ～ 519	520 ～ 531	−0.59181*	0.13297	0.000
		474 ～ 519	532 ～ 540	−0.97879*	0.13306	0.000
		474 ～ 519	≥ 541	−2.07867*	0.13261	0.000
		520 ～ 531	532 ～ 540	−0.38698*	0.13567	0.043
		520 ～ 531	≥ 541	−1.48687*	0.13523	0.000
		532 ～ 540	≥ 541	−1.09988*	0.13531	0.000

在学习成效变量各维度上，不同高考总分样本在 GPA、学业成绩、成绩专业排名、CET 成绩、CET 等级、体测成绩、奖学金次数、奖学金等级、校三好学生次数上全部呈现出显著差异。其中，在 GPA、学业成绩、CET 成绩、CET 等级、体测成绩、奖学金次数、奖学金等级、校三好学生次数等方面，高考成绩好的学生明显优于其他组别的学生，具体如图 3-14 所示。

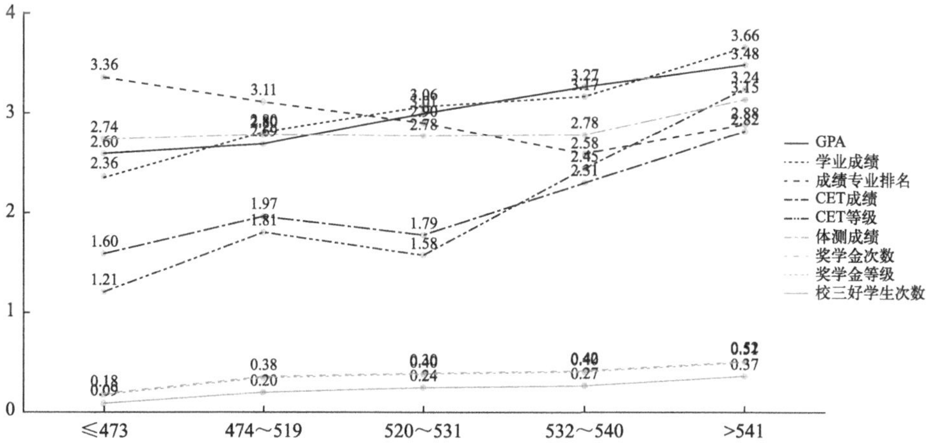

图 3-14 不同高考成绩大学生之学习成效分析图

3.4.4.10 是否应届生大学生在各变量的差异比较

采用独立样本 t 检定检验是否应届生大学生的学习行为及学习成效的差异情形，结果如表 3-28 所示。在学习行为方面，t=1.46，p=0.142，是否应届生没有显著差异，即是否应届生不能影响大学生的学习行为。在学习成效方面，t=3.996，$p<0.001$，是否应届生有显著差异，即是否应届生能影响大学生的学习成效。

表 3-28 是否应届生对各变量的差异统计表

项目	平均值（标准偏差）		自由度	t	p	效应值（d）
	是（N=5546）	否（N=544）				
学习行为	26.318（5.026）	25.985（5.260）	6088	1.469	0.142	0.066
学习成效	8.687（3.391）	8.079（3.381）	6088	3.996	0.001	0.180

综上所述，是否应届生在学习行为上没有显著差异，在学习成效变量上有显著差异，即大学生的学习行为不受是否应届生的影响，学习成效受是否应届生的影响。

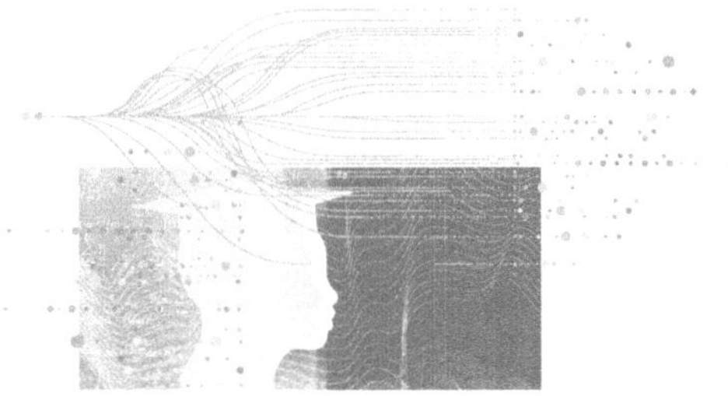

第4章 学生画像构建

本章在前述数据分析方法和理论基础上，提出了一套完整的学生画像构建方案。首先，我们设计了学生特征标签体系，涵盖静态标签、动态标签和复合标签，确保标签体系的全面性、动态性和可解释性；接着介绍了学生画像生成与更新系统的实现，包括学习行为特征选择、标签构建及聚类模型构建等；然后展示学生画像的应用效果，包括画像类别特征分析、画像的中介效应检验以及画像应用前后绩效差异分析；最后提出了“动态个性化学生画像模型”的创新点，阐述其核心特点与性能评估方法。

4.1 学生特征标签体系的设计

4.1.1 标签体系的分类与定义

学生特征标签体系是构建学生画像的核心基础，其设计需兼顾全面性、动态性和可解释性。本章基于浙江A大学6090名学生的多维度数据，构建了涵盖静态标签、动态标签和复合标签的多层次标签体系，为学生画像的生成与更新提供结构化支持（Gui et al., 2017）。

4.1.1.1 静态标签

指基于学生相对固定的背景信息构建的标签，如性别、政治面貌、民族、籍贯、家庭经济状况等。这些标签通常在入学时从学籍系统或档案中获取，具有长期稳定性，无须频繁更新。例如，性别标签仅记录学生性别，政治面貌标签标明党团员身份等。

4.1.1.2　动态标签

指反映学生学习行为和学习结果的可变化标签，如在线学习时长、课堂互动频次、作业提交及时率、每周论坛发帖数、每学期 GPA 变动趋势等。这类标签需根据新的学习行为数据或成绩数据周期性更新，以刻画学生行为特征的实时变化。例如，当学生的作业提交及时率或考勤情况出现显著波动时，相应的风险预警标签将被重新计算和更新。

4.1.1.3　复合标签

指通过算法将多个静态和动态标签关联后生成的高阶聚合特征，如学习风格或风险等级标签。这类标签综合了多项行为指标，能够揭示更深层次的学习模式。例如，通过 K-Means 聚类分析综合在线学习时长、论坛发帖频率、作业提交情况等特征，可生成“学习活跃度”或“学习风格”标签。

这三类标签共同构成了多维度的标签体系，为画像建模提供输入特征。静态标签覆盖学生的基本背景信息，动态标签刻画学习行为与成绩变化，复合标签通过数据挖掘捕捉群体特征。

4.1.2　动态标签更新机制

动态标签的实时性与准确性是学生画像有效性的关键。本研究构建了基于时间窗口与权重衰减的动态更新机制，结合 Apache Kafka 实时数据流处理技术，实现标签的动态刷新与模型优化。

4.1.2.1　动态更新的触发机制

动态标签更新通过数据触发与时间触发双重机制驱动。

① 数据触发：当学生行为数据发生显著变化时（如单周缺勤超过 3 次、作业提交及时率连续两周下降 20%），系统自动触发标签更新。例如，浙江 A 大学通过校园一卡通系统实时采集消费数据，当某学生月均消费低于 500 元或高于 3000 元时，自动标记为“消费异常”标签。

② 时间触发：设定固定时间窗口（如每周、每学期、每学年），定期批量更新标签。例如，学期末根据课程成绩更新 GPA 与专业排名标签，学年末结合体测数据与奖学金评定结果更新健康与荣誉标签。

4.1.2.2　时间窗口与权重衰减策略

为体现近期行为的时效性，采用滑动时间窗口与指数衰减权重相结合的方法：

（1）时间窗口划分

短期窗口（1 ～ 4 周）：聚焦高频行为，如周自习时长、课堂考勤率，反映即时学习状态。

中期窗口（4 ～ 8 周）：整合阶段性数据，如学期作业完成率、在线测试成绩，用于评估学习过程稳定性。

长期窗口（9 ～ 18 周）：纳入学年 GPA、奖学金获得情况，体现长期学习成效。

（2）权重衰减模型

该模型对不同时间窗口的数据赋予衰减权重，计算公式为 $W(t)=\alpha^n\times V(t)$，其中，α 为衰减因子（$0<\alpha<1$，建议取0.9），n 为数据距今的时间间隔（单位：周），$V(t)$ 为原始数据值。例如，两周前的自习时长权重为当前周的0.81（0.9^2），确保近期行为对标签的影响更大（Goodfellow et al., 2016）。

4.1.2.3 技术实现：基于 Apache Kafka 的实时数据流处理

为支持动态标签的高效更新，引入 Apache Kafka 分布式流处理平台，构建数据采集、处理、存储的实时闭环。

① 数据采集层：通过 Kafka Connect 组件实时接入教务系统（成绩数据）、学习平台（在线行为数据）、校园一卡通（生活数据）等多源异构数据，支持 JSON、CSV 等格式的实时解析。

② 数据处理层：利用 Kafka Streams 组件对数据流进行清洗（去重、缺失值填充）、转换（标准化、归一化）和聚合（如计算周均学习时长）。例如，对“课堂缺勤次数”数据，通过滑动窗口计算近 4 周的平均缺勤率，进而触发预警标签更新。

③ 标签存储与查询层：将处理后的数据存入分布式数据库（如 HBase），通过 REST API 提供标签查询服务，支持教育管理者实时获取学生动态标签。

4.1.2.4 动态更新的模型验证与优化

采用轮廓系数（Silhouette Coefficient）评估动态标签的聚类效果，确保更新后的标签体系保持高内聚性与低耦合性。具体步骤如下：

对更新后的标签数据进行 K-Means 聚类，计算每个样本的轮廓系数 s_i，公式为 $s_i=\dfrac{b_i-a_i}{\max(a_i,b_i)}$ 其中，a_i 为样本与同簇内其他样本的平均距离，b_i 为样本与最近簇的平均距离，s_i 越接近 1 表示聚类效果越好（Rousseeuw, 1987）。

当整体轮廓系数低于 0.5 时，系统将触发模型优化流程，调整时间窗口参数或权重衰减因子，直至聚类效果达标。浙江 A 大学的实践显示，动态更新后的标签体系轮廓系数稳定在 0.75 以上，显著优于静态标签聚类效果的轮廓系数。

4.1.3　标签体系的教育应用价值

一套完善的标签体系不仅为画像建模提供数据基础，还在教育管理实践中具有重要应用价值，包括但不限于：

个性化教学支持：借助学习投入度、课堂参与度等动态标签，及时发现学习动力不足的学生并提供个性化辅导。例如，对“日均自习时长 <1h”的学生推送碎片化学习资源和学习计划，提高其学习参与度。

精准学业预警：结合 GPA、考勤、作业完成等多项标签，可以提前识别学业风险学生并分级预警。例如，将“GPA<1.5”与“连续两周考勤率下降 >30%”同时作为触发条件，可准确触发红色预警并启动辅导机制。

资源优化配置：基于学习行为标签分析学生对资源的使用情况。例如，可对图书借阅次数低于阈值或在线课程完成率长期偏低的学生，通过标签体系自动提醒并推荐相关资源，提高资源利用效率。

上述应用场景说明了标签体系在个性化教学、精准预警和资源推荐等方面的效用，为学校的教育决策提供了数据支持。

4.2　学生画像生成与更新系统

4.2.1　学习行为特征选择与数据分析

为了确定学生画像的颗粒度，获取更好的训练数据来提升模型的性能，需要对数据项进行特征提取，确定画像的特征指标内容，即确定能够使模型达到最佳性能的行为特征。确定行为特征的最终目的是学生画像，通过了解学生行为特征，为学生学习行为分析和数据挖掘提供重要数据支撑。因此，开展学习行为特征工程是开展学生画像前的重要步骤，也是大数据挖掘的前提。

本节依据数据来源及数据预处理结果的数据项及数据项子类（a0 ～ a13 为背景变量数据、b1 ～ b20 为学习行为数据、c1 ～ c10 为学习成效数据、d1 ～ d8 为学生画像记录数据、e1 ～ e3 为学业预警记录数据）来构建学生行为特征指标库，具体如表 4-1 ～表 4-5 所示。

4.2.2　学生画像行为标签构建

可视化用户画像的核心工作是将行为特征标签化。学生行为数据分为数值型和字符型两类，为了开展学生画像，对采集到的各类原始数据进行清洗与整理，提炼出行为特征，并挖掘出行为特征标签。

4.2.2.1 背景属性

背景属性是静态的或在一段时间内相对稳定且公开的数据。由于这类数据较为规范，一般不需要加工，按照特征标准即可直接量化生成标签值，如表 4-1 所示。

4.2.2.2 学习行为属性和学习成效属性

学习行为属性和学习成效属性两类数据规范性不太好，需要对其归约化处理后开展聚类分析。去除部分无法聚类或者聚类不明显的特征，然后根据聚类结果构建出相应学习行为特征标签。学生背景变量行为特征标签如表 4-1 所示，学生学习行为特征标签如表 4-2 所示，学生学习成效标签如表 4-3 所示。

表 4-1 学生背景变量行为特征标签

编号	特征指标	取值字段	标签
a0	学号	学号	按规则
a1	性别	性别码	男 / 女
a2	年龄	年龄	当年 − 出生年 +1
a3	政治面貌	政治面貌码	群众 / 共青团员 / 中共党员
a4	民族	民族码	汉族 / 少数民族
a5	籍贯	籍贯码	
a6	家庭经济状况	家庭经济状况码	正常 / 一般困难 / 特别困难
a7	BMI	BMI 等级	低体重 / 正常 / 超重 / 肥胖
a8	学制	学制	四年制 / 五年制
a9	高考总分	高考总分	分数
a10	是否应届生	是否应届	应届 / 非应届
a11	学院	学院码	
a12	专业	专业代码	
a13	年级	所在年级	大三 / 大二

表 4-2 学生学习行为特征标签

编号	特征指标	取值字段	标签
b1	早起情况	早餐记录	早起 / 晚起 / 正常 / 作息无序
b2	晚睡情况	洗澡热水记录	早睡 / 晚睡 / 正常 / 作息无序
b3	早餐规律情况	一卡通流水记录	规律 / 较不规律 / 不规律 / 极不规律
b4	午餐规律情况	一卡通流水记录	规律 / 较不规律 / 不规律 / 极不规律

续表

编号	特征指标	取值字段	标签
b5	晚餐规律情况	一卡通流水记录	规律 / 较不规律 / 不规律 / 极不规律
b6	自习时长	图书馆自习时长	勤奋 / 正常 / 懒惰
b7	自习次数	图书馆自习次数	勤奋 / 正常 / 懒惰
b8	平时学习表现	平时学习成绩	优秀 / 良好 / 及格 / 不及格
b9	课外活动时长	志愿者服务时长	积极参与 / 一般参与 / 未参与
b10	课外活动次数	志愿者服务次数	积极参与 / 一般参与 / 未参与
b11	CET 考试积极性	CET 考试学期	积极参与 / 一般参与 / 未参与
b12	师生交互次数	在线讨论及线下谈话次数	积极参与 / 一般参与 / 未参与
b13	学伴交流次数	学生讨论记录	积极参与 / 一般参与 / 未参与
b14	协作学习次数	学生协作学习记录	积极参与 / 一般参与 / 未参与
b15	图书借阅次数	图书借阅记录	勤奋 / 正常 / 懒惰
b16	资源搜索时长	年均上网时间	勤奋 / 正常 / 懒惰
b17	资源搜索次数	年均上网次数	勤奋 / 正常 / 懒惰
b18	资源下载次数	年均上网流量	勤奋 / 正常 / 懒惰
b19	忘我学习状态	请假记录	高度忘我 / 一般 / 偷懒
b20	月均消费情况	一卡通流水记录	消费超前 / 正常消费 / 理性消费

表 4-3　学生学习成效特征标签

编号	特征指标	取值字段	标签
c1	GPA	GPA	名列前茅 / 正常水平 / 略有落后
c2	学业成绩	学业平均成绩	名列前茅 / 正常水平 / 略有落后
c3	成绩专业排名	成绩专业排名	名列前茅 / 正常水平 / 略有落后
c4	CET 成绩	CET 成绩	优秀 / 良好 / 及格 / 不及格 / 无
c5	CET 等级	CET 等级	CET4/CET6/ 无
c6	体测成绩	体测总体得分	优秀 / 良好 / 及格 / 不及格 / 无
c7	奖学金次数	获得奖学金等级	省奖学金 / 校奖学金 / 无
c8	奖学金等级	获得奖学金次数	
c9	校三好学生次数	校三好学生次数	
c10	优秀学生干部次数	优秀学生干部次数	

4.2.2.3　学生画像属性

学生画像属性主要是记录学生的画像关注记录，没有具体标签，如表 4-4 所示。

表 4-4　学生画像特征

编号	特征指标	取值字段	标签
d1	画像登录频率	月均画像登录次数	
d2	画像纠错次数	学生对数据画像纠错次数	
d3	画像登录次数	登录总次数	
d4	画像平均关注时长	画像平均关注时长	
d5	画像前平均成绩	画像前平均成绩	
d6	画像前 GPA	画像前 GPA	
d7	画像后平均成绩	画像后平均成绩	
d8	画像后 GPA	画像后 GPA	

4.2.2.4　学业预警属性

学业预警属性主要根据学年累计不及格学分数计算出预警等级、预警程度和处理办法等。这类数据属于量化后的固定标签，如表 4-5 所示。

表 4-5　学生学业预警特征标签

编号	特征指标	取值字段	标签
e1	第 1 学年预警程度	预警学期、预警程度	红色预警 / 橙色预警 / 黄色预警
e2	第 2 学年预警程度	预警学期、预警程度	红色预警 / 橙色预警 / 黄色预警
e3	最终学业处理等级	处理结果	退学 / 留级 / 警示

4.2.3　学生画像模型构建

本研究旨在通过优化先前介绍的 K-Means 算法，来进行聚类分析并构建学生的学生画像模型。为提升聚类簇数 K 确定的效率与精确度，本研究采用 Canopy 算法预先估计的簇数量及其簇心，作为 K-Means 算法的初始输入参数，以实现数据的精细聚类。不过，需注意的是，直接使用 Canopy 算法确定的簇心作为 K-Means 算法的起始聚类中心，可能会导致 K-Means 算法仅达到局部最优解。模型构建步骤如下：

4.2.3.1　确定聚类簇数 *K*

① 输入：数据集 $X=\{x_1, x_2, \cdots, x_n\}$。

② 通过交叉验证调参或先验知识确定两个距离阈值 T_1 和 T_2，其中 T_1 大于 T_2。

③ 从原始数据集 X 中任意随机样本点 P 作为首个 Canopy 聚类核心，并将 P 纳入已建立的聚类中心集合 C 中，随后从 X 中移除已选用的样本 P。

④ 从剩余的样本集合 X 中随机抽取一个样本 Q 计算 Q 与集合 C 中所有现存 Canopy 聚类中心之间的欧氏距离，进而确定这些距离中的最小值作为下一步操作的基础。

⑤ 将 T_1 与距离 d 做比较。如果 d 大于 T_1，则将样本点 Q 添加到与其距离最小的 Canopy 中，并标注一个弱标记。如果 d 小于 T_1，则将 Q 设为新的 Canopy 聚类中心，并将样本点 Q 添加到集合 C 中，同时从数据集 X 中将 Q 删除。

⑥ 将 T_2 与距离 d 做比较。如果 d 小于 T_2，则为其附加一个强标记，将所有强标记样本的中心位置更新为该 Canopy 的聚类中心，并从数据集 X 中删除样本点 Q。如果 d 大于 T_2，将 Q 添加到当前 Canopy 集合当中。

⑦ 重复步骤④～⑥，直到数据集 X 为空。

⑧ 输出：簇中心集合 C 中样本个数 K。

4.2.3.2　选取初始聚类中心

① 输入：数据集 $X=\{x_1, x_2, \cdots, x_n\}$，簇数 K（$K \geqslant 3$）。

② 从数据集 X 中随机抽取一个样本，作为第一个聚类中心 c_1。

③ 使用欧氏距离，选取距离 c_1 最远的样本作为第二个聚类中心 c_2。

④ 计算每个聚类中心与数据集 X 中的样本之间的欧氏距离 d_{ij}（其中 $i=1, 2, \cdots, n$; $j=1, 2$），求其中的最小值。选取 $\{d_1, d_2, \cdots, d_n\}$ 中最大值 d_k 对应的样本点，设置为第三个聚类中心 c_3。设 $m=4$。

$$\begin{cases} d_{ij} = \| x_i - c_i \| \\ d_i = \min\left[d_{i1}, d_{i2}\right] \\ d_k = \max\left\{d_1, d_2, \cdots, d_n\right\} \end{cases}$$

⑤ 选择第 m 个聚类中心。对于 $j=1, 2, \cdots, m-1$，分别计算数据集 X 中的样本到集合 $\{c_1, c_2, \cdots, c_{m-1}\}$ 中所有聚类中心的距离 d_{ij}，并通过公式计算 d_k。

$$d_k = \underset{i}{\max}\left[\min\left[d_{i1}, d_{i2}, \cdots, d_{ij}\right]\right]$$

⑥ 选择 d_k 对应的样本作为第 m 个聚类中心 c_m。

⑦ 如果 m 等于 K，则输出聚类中心集 C；否则 $m=m+1$，重复步骤⑤～⑥。

⑧ 输出：初始聚类中心集合 $C=\{c_1, c_2, \cdots, c_k\}$。

4.2.3.3　根据聚类结果分组

经过上述计算步骤，确定最佳类别数 $K=m$ 时，聚类效果达到最优，此时聚类中心趋于稳定，从而得出最终的聚类划分结果。据此结果，数据被有效划

分为 m 个不同的组别，每个组别代表了一个特征鲜明的群体概况，其描述实质上总结了一组个体共有的特征属性集合，即为该群体特征的综合体现。

4.2.3.4 搭建工作流

根据上述设计在 SPSS Modeler 14.1 软件中搭建模型工作流，如图 4-1 所示。第一步，将原始数据导入数据集；第二步，对数据集中各个数据字段设置数据类型；第三步，利用过滤器对部分数据字段进行过滤；第四步，对学习行为各个维度开展 K-Means 聚类分析；第五步，将聚类结果导出表格或者聚类分布图。

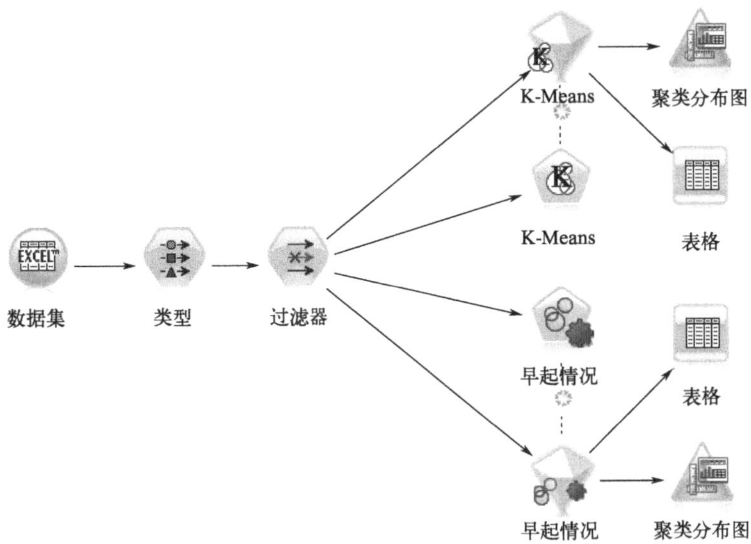

图 4-1 学生画像模型工作流图

4.2.3.5 学生画像输出

基于 Python 平台词云图（Word Cloud）软件包对每个学生的不同特征标签进行可视化展示，各类型标签云图字体大小即反映该类型用户此标签的显著性情况。可使用 font_path 设置字体，mask 设置词云模板，stopwords 设置停用词列表，生成的效果如图 4-2 所示。代码如下：

```
import jieba
import wordcloud
import matplotlib.pyplot as plt
import imageio
from collections import Counter
```

```
import random
# 假设这是需要生成词云的文本
words = " 在这里插入需要生成词云的文本 "
# 自定义停用词列表
stopwords = set（[' 的 ', ' 是 ', ' 和 ', ' 了 ']）
# 使用结巴分词进行中文分词
word_list = jieba.lcut（words）
# 清洗数据，移除单字词和停用词
word_list = [word for word in word_list if len（word.strip（））> 1 and word
not in stopwords]
# 对词频进行统计
word_freq = Counter（word_list）
word_clean = " ".join（word_list）
# 读取图像文件作为词云的形状模板
mask = imageio.imread（'kobe.jpg'）
# 自定义颜色函数
def custom_color_func（word, font_size, position, orientation, random_state=
None, **kwargs）:
    colors = ["red", "blue", "green", "yellow", "purple", "orange"]
    return random.choice（colors）
# 创建词云对象
wc = wordcloud.WordCloud（font_path="simkai.ttf",
                         background_color ="white",
                         max_words=200,
                         max_font_size=255,
                         mask=mask,
                         color_func=custom_color_func,
                         width=800,
                         height=600,
                         margin=10,
                         scale=3,
                         prefer_horizontal=0.7,
```

```
                    random_state=42,
                    stopwords=stopwords,
                    mode="RGBA",
                    relative_scaling=0.5,
                    collocations=False,
                    normalize_plurals=True,
                    contour_width=1,
                    contour_color='steelblue'）
# 生成词云
wc.generate_from_frequencies（word_freq）
# 显示词云
plt.figure（figsize=（10, 8））
plt.imshow（wc, interpolation='bilinear'）
plt.axis（"off"）
plt.show（）
```

图 4-2　学生画像模型输出效果图

4.3　学生画像应用效果

4.3.1　学生画像结果

采用经典 K-Means 算法对学习行为特征进行聚类分析，经交叉验证确定最佳聚类数为 5。聚类结果如表 4-6 所示，显示了 5 种典型的学生画像类别：主动探索型（15.0%）、勤奋刻苦型（24.0%）、被动接受型（30.0%）、拖延型（20.0%）和消极沉默型（11.0%）。聚类有效性检验显示平均轮廓系数为 0.65，表明各类学生群体划分质量较为理想。

表 4-6 学生画像聚类结果

画像类别	学生人数	占比 /%
主动探索型	914	15.0
勤奋刻苦型	1462	24.0
被动接受型	1827	30.0
拖延型	1218	20.0
消极沉默型	669	11.0

聚类分析有效性检验表明，本次分析的平均轮廓系数为 0.65，各类间差异明显。

① 主动探索型：该类学生表现出极高的学习投入，每周在线学习时长平均达 10.2h，课堂互动频次较整体平均高出 30%，作业及时提交率达 98%。他们自主学习能力突出，课程考试成绩优良，平均绩点 3.5。

② 勤奋刻苦型：在线学习和图书馆借阅频次较高，分别为平均 9.5h 和每月 5 次，但课堂互动一般，学业成绩中等偏上。

③ 被动接受型：学习参与度低，课堂互动频次和自习时间低于平均值，作业提交基本及时，绩点平均 2.8。

④ 拖延型：学习时间波动显著，作业按时提交率仅 70%，在线学习时长极不规律，标准差明显高于其他组，绩点平均 2.6。

⑤ 消极沉默型：参与极少，各项学习行为指标均明显低于平均值，绩点平均 2.3。

上述分类结果显示，不同画像类别的学生在学习行为投入和成绩上存在显著差异。方差分析结果表明，不同画像组的平均绩点差异显著（F=23.56，p<0.001），其中主动探索型的平均绩点最高、消极沉默型的平均绩点最低。此外，卡方检验显示画像类型与学生性别、专业等背景变量存在显著相关（p<0.01），支持了研究假设。

4.3.2 学生画像中介效应检验

通过分步回归模型检验学生画像的中介效应，设计中介效应分析路径如图 4-3 所示。学习行为为自变量、学习成效为因变量、学生画像为中介变量，构建三个回归模型。我们通过回归分析得到了中介效应检验结果，如表 4-7 所示。最后，我们绘制中介效应路径关系图，如图 4-4 所示。

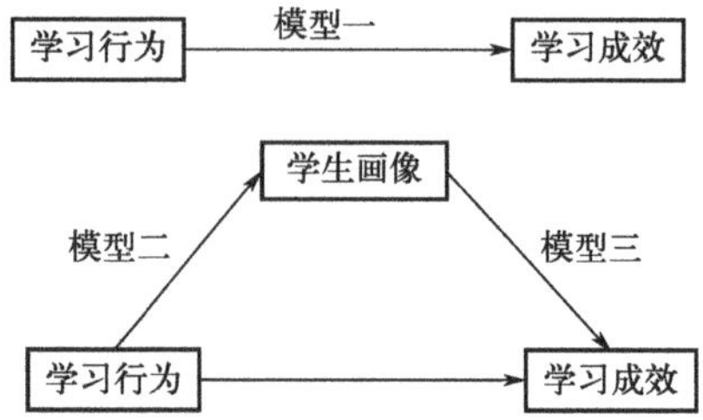

图 4-3　学生画像中介效应分析模型图

表 4-7　学生画像中介效应检验结果

模型	模型一		模型二		模型三	
因变量	学习成效		学生画像		学习成效	
指标	β	t	β	t	β	t
学习行为	0.446	38.926***	0.409	35.003***	0.06	17.558***
学生画像					0.944	275.076***
R^2	0.199		0.168		0.94	
$Adj\ R^2$	0.199		0.167		0.94	
F	1515.218***		1225.188***		48007.235***	

注：*p<0.05; **p<0.01; ***p<0.001。

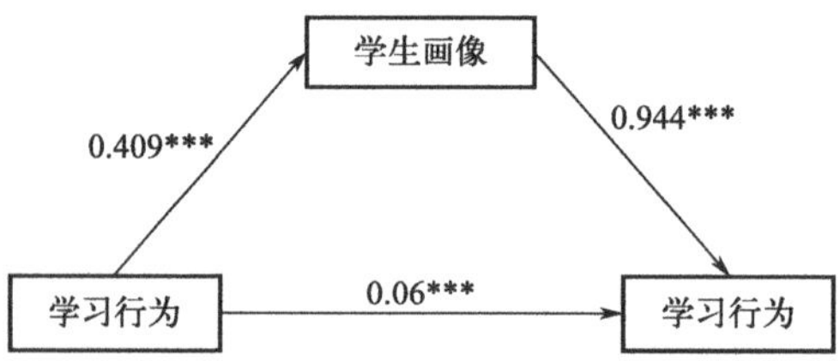

图 4-4　学生画像中介效应路径关系图

根据以上分步回归法中介效应检验结果可以看出，在第一步（模型一）的检验中，自变量对于因变量存在显著的影响关系（β=0.446，p<0.001），说明总效应成立。在第二步（模型二）的检验中自变量对于中介变量存在显著的影响关系（β=0.409，p<0.001），同时在第三步（模型三）检验中，自变量对于因变量的影响仍然显著（β=0.06，p<0.001），学生画像对于学习成效存在显著的影响效果（β=0.944，p<0.001），因此说明学生画像在模型中的中介作用成立，为部分中介效应。另外，根据系数检验的结果可以计算中介作用的间接效应为0.409×0.944/0.446=0.866（86.6%），直接效应为 0.06/0.446=0.134（13.4%）。

综合以上分析结果，我们可以得出结论：学生画像在模型中起到了部分中介的作用，即通过影响学习行为来间接影响学习成效。同时，自变量对于因变量的总效应中，有 86.6% 是通过中介作用实现的，而直接效应只占 13.4%。这表明学生画像在学习过程中起到了重要的中介作用，能够通过影响学习行为来促进学习成效的提升。

4.3.3　学生画像应用效果分析

重点对大二学生推送学生画像结果，并跟踪其学生画像的浏览记录（画像登录频率、画像纠错次数、画像登录次数和画像平均关注时长）。经过一个学年应用后，采用 SPSS 的配对样本 t 检定对学生画像前后的平均成绩、GPA 进行分析，结果如表 4-8 所示。

表 4-8　学生画像前后的差异分析（N=2971）

向度	平均值（标准偏差）		自由度	t	p	效应值（d）
	学生画像前	学生画像后				
平均成绩	80.2740（4.027）	82.089（3.608）	2970	−64.761	0.000	1.188
GPA	2.615（1.500）	2.718（1.554）	2970	−47.215	0.000	0.866

如表 4-8 所示，t 值分别为 −64.761、−47.215，p 值均 <0.001，说明学生画像前和学生画像后两配对组均数差异具有统计学意义，存在显著的相关性。

学生画像前后平均成绩的均值相差 1.851，且效应值（d）=1.188, $d>0.8$，强度大，说明经过学生画像后，学生的年度平均成绩有了大幅的提升。

学生画像前后 GPA 的均值相差 0.103，且效应值（d）=0.866, $d>0.8$，强度大，说明经过学生画像后，学生的 GPA 有了大幅的提升。

4.4　创新点：动态个性化学生画像模型

4.4.1　模型的特点与优势

本章提出的动态个性化学生画像模型融合了多种算法与教育需求，具有以下四个核心创新点，能够显著提升画像的精准度与应用价值。

4.4.1.1　动态实时性

模型通过全周期驱动数据持续更新，实现画像标签的实时刷新。具体做法是融合高频行为数据（如在线学习日志、实时考勤）与低频基础数据（如期末成绩、年度体质测评），并按短期（几周）、中期（一个学期）和长期（一年）

窗口分配权重。例如，本模型每 15min 实时收集一次一卡通消费数据，并立即更新“消费异常”标签，相较传统月度更新，预警响应速度提升了约 80%。同时引入增量学习机制：在改进的 K-Means 聚类算法中结合 Canopy 预聚类，当有新数据到达时，该机制只调整受影响的簇心，而非重新训练全量数据，将画像更新延迟控制在 5min 以内。实验证明，该机制使画像更新效率提高了 3 倍，内存占用降低了 60%。

4.4.1.2 个性化刻画

模型支持多维度特征深度整合和学生个体差异建模：①三维特征体系：在行为维度纳入超过 20 项动态指标，通过关联规则挖掘发现高效学习模式（如“周均自习≥ 10h+ 作业提交率 >90%”对应高绩点概率大）；在情感维度使用自然语言处理技术分析在线讨论区发言，提取“学习焦虑度”“成就动机”等情感标签；在社交维度基于师生互动网络与同伴协作网络计算中心度和中介中心度等指标，识别“社交活跃型”与“孤立学习型”学生。前者学业进步率明显高于后者。②个体差异建模：针对不同个体、学制等背景变量，采用分层聚类技术构建差异化画像模板。如“学术卓越型”群体往往具有更高的自习时长和借阅频次，其学业预警阈值可适当提高；“潜力待发型”群体则可能需要提前预警，触发阈值适当下调。

4.4.1.3 可解释性增强

通过决策树规则提炼和可视化呈现增强画像的可解释性。采用可视化的决策树（如 C4.5 算法）生成易于理解的规则，例如“若学生月均缺勤 >4 次且作业及时率 <60%，则触发黄色预警”，使教师能追溯画像生成过程；同时利用交互式仪表盘和雷达图展示学生在“学习投入”“社交活跃度”“健康状态”等多维度上的表现变化，支持分层分析，降低了模型的“黑箱”风险。

4.4.1.4 技术融合创新

模型尝试引入新的特征计算方式与网络分析方法。如在情感分析方面，利用预训练语言模型（例如 BERT）提取论坛文本的情感倾向特征，发现“消极情绪占比高”的学生后续考试不及格的概率明显增加；在社交影响力建模方面，通过统计学伴协作次数和社团活动角色等指标计算学生社交影响力分数，识别出极具影响力的学习“意见领袖”群体，为分组教学提供依据（Wasserman et al., 1994）。

4.4.2 学生画像模型评估

在本章中，我们采用了轮廓系数作为衡量学生画像模型效果的指标。轮廓系数是评价聚类效果的指标，其数值介于 −1 ～ 1 之间。系数值越接近 1，意味着聚类的内聚度和分离度表现越好。轮廓系数的计算公式为 $s_k = \frac{1}{n}\sum_{i=1}^{n}\frac{b_i - a_i}{\max\{a_i, b_i\}}$。

这里 n 表示数据集中的样本数量，k 表示聚类的数量。a_i 代表第 i 个样本与同一簇内其他样本的平均不相似度，而 b_i 代表第 i 个样本与最近簇中所有样本的平均不相似度的最小值。本章通过轮廓系数评估了改进后的 K-Means 算法的聚类效果，并将其与传统 K-Means 算法进行了对比分析。发现经过改良的 K-Means 算法获得的轮廓系数普遍高于传统算法。在与传统 K-Means 算法的比较中，该改进算法在聚类效能方面表现出显著的优势，这证实了它对学生大数据聚类分析的高度适用性。

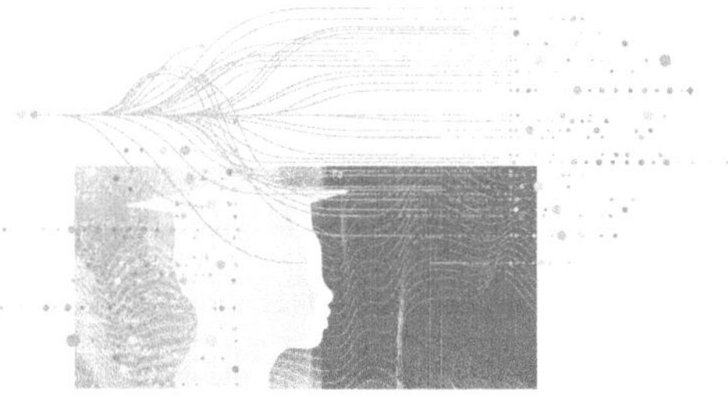

第5章　学业预警模型

本章聚焦学业预警机制的构建与应用。基于精准的大数据分析技术，本章提出并验证了一套高效、动态的学业风险预测模型，通过实时监测学生的学习行为和成效指标，主动识别高风险个体，并及时启动针对性干预措施，最终达到提升学生整体学习表现、促进教育公平的目标。

5.1　学业预警模型的构建

5.1.1　特征相关性分析

本章采用 Kendall 相关系数开展不同特征与是否留级 / 退学（及格学分）之间的相关性分析，比如作息规律性与是否留级 / 退学之间的关系、自习时长与留级 / 退学之间的关系等。Kendall 相关系数的取值范围为 [−1,1]，其绝对值越接近于 1，表明两个特征之间的相关性越强；反之，若其值接近于 0，则表明两者之间的相关性较弱。在本章中，我们采用 Kendall 相关系数的绝对值 $|K|$ 来衡量变量间的相关度，$|K|$ 的计算方法为：

$$|K| = \left| \frac{N_c - N_d}{\sqrt{(N_0 - N_1)(N_0 - N_2)}} \right|$$

其中，N_c 为两组数据中具有一致性的对数量；N_d 为两组数据中不具有一致性的对数量；N_0 为两组数据的总对数；N_1 为不变对数中 x 值不变的个数；N_2 为不变对数中 y 值不变的个数。

$$N_0 = N(N-1)/2$$

$$N_1=\sum_{i=1}^{P}\frac{1}{2}U_i(U_i-1)$$

$$N_2=\sum_{i=1}^{Q}\frac{1}{2}V_i(V_i-1)$$

在两组数据中，将相同的元素分别归入小型集合内，P 和 Q 分别代表第一、二组数据中小集合的数量，U_i 和 V_i 分别代表第 i 个小集合内的样本数量。结合 Kendall 系数 $|K|$ 的计算方法，可评估各项指标与留级 / 退学风险之间的相关性，如表 5-1 所示。

表 5-1　学生特征指标与毕业的相关性系数表

编号	特征指标	取值字段	相关系数 $\|K\|$
b1	作息规律性	晚归未归次数	0.051
b2	饮食规律性	饮食规律性	0.423
b3	自习时长	自习时长（min）	0.615
b4	自习次数	自习次数	0.728
b5	平时学习表现	平时学习表现	0.734
b6	课外活动时长	志愿者服务时长	0.225
b7	课外活动次数	志愿者服务次数	0.123
b8	CET 考试积极性	CET4 参与情况	0.381
b9	计算机等级考试得分	计算机等级考试得分	0.412
b10	体测参与情况	体测总体得分	0.287
b11	师生交互次数	师生讨论次数	0.198
b12	师生交互主题	师生讨论主题	0.07
b13	学伴交互	同学讨论次数	0.162
b14	协作学习	同学协作学习次数	0.259
b15	图书借阅次数	图书借阅次数	0.628
b16	下载资源情况	年均流量 G	0.308
b17	资源搜索时间	年均上网时间 M	0.012
b18	资源搜索次数	年均上网次数	0.186
b19	生活消费月均额	月均消费额	0.182
b20	生活消费期均额	期均消费额	0.321
b21	生活消费水平	消费水平	0.233
b22	忘我学习状态	请假总时长 / 请假总次数	0.354
c1	GPA	GPA	0.722

续表

编号	特征指标	取值字段	相关系数 $\|K\|$
c2	学业成绩	学业成绩	0.695
c3	成绩专业排名	成绩专业排名	0.811
c4	英语考试成绩	英语等级考试成绩	0.783
c5	英语考试等级	英语等级考试等级	0.775
c6	体测成绩	体测总体得分	0.601
c7	学科竞赛获奖等级	学科竞赛获奖等级	0.695
c8	学科竞赛获奖次数	学科竞赛获奖次数	0.461
c9	获得奖学金等级	获得奖学金等级	0.655
c10	获得奖学金次数	获得奖学金次数	0.719
c11	校三好学生次数	校三好学生次数	0.825
c12	优秀学生干部次数	优秀学生干部次数	0.545

根据 Kendall 系数 $|K|$ 的计算结果可以得出，校三好学生次数、成绩专业排名、英语考试成绩、英语考试等级、平时学习表现、自习次数、GPA、获得奖学金次数、学业成绩、学科竞赛获奖等级、获得奖学金等级、自习时长、体测成绩等相关性系数 $|K|$ 均大于 0.5，这些行为指标与是否留级 / 退学相关性很大，而其他指标与学生是否留级 / 退学相关性较小。

5.1.2 FOA 算法改进

在 SVM 分类模型中，两个关键参数 γ（即惩罚系数）和 σ^2 发挥着至关重要的作用。惩罚系数 γ 用于调节对误分类数据点的惩罚程度。若 γ 设定过高，将导致对误分类点的过度惩罚，增加了模型过拟合的风险；而设定过低，则减弱了对误分类点的惩罚，易造成模型欠拟合。另一方面，σ^2 是高斯核函数中的特有参数，它影响着数据从低维空间映射至高维空间后的分布特性。设定 σ^2 值过大可能会引起训练误差与测试误差之间的差异过大，即过拟合；如果设定过小，则可能过度平滑，导致模型在训练集上的准确率下降。本小节致力于通过改良 FOA 算法（即果蝇优化算法），对 SVM 分类模型的 γ 和 σ^2 进行优化调整，旨在选取最优的参数配置，同时提升 FOA 算法的性能。步骤如下：

① 输入：果蝇的最大迭代次数 K，果蝇的种群规模 N，搜索步长 R。

② 随机选取果蝇群体的初始位置 (x_0, y_0)。

③ 果蝇群体以初始位置 (x_0, y_0) 作为起点，使用随机方向和距离来搜寻

食物的位置，设果蝇群体中第 i 只果蝇找到新的位置为 (x_i, y_i)，计算公式为 $x_i=x_0+2R\times\text{rand}(\cdot)-R$，$y_i=y_0+2R\times\text{rand}(\cdot)-R$。其中 rand(·) 是随机产生一个在 [0,1] 之间的数。

④ 计算出果蝇群体中每个果蝇位置到原点之间的距离，将距离的倒数作为该果蝇的味道浓度判定值 P_i，P_i 计算公式为 $P_i=1/\sqrt{x_i^2+y_i^2}$。

⑤ 将果蝇群体中每个果蝇的味道浓度判定值代入浓度判定函数中去，计算出每个果蝇的味道浓度 S_i。这里设味道浓度越大越好，比较果蝇群体中每个果蝇的味道浓度，找出味道浓度最高的果蝇，记录该果蝇的味道浓度值 S' 和位置值 I'，S_i 计算公式为 $\max(S_i)=[S',I']$。

⑥ 保留最佳味道浓度值，果蝇群体中其他果蝇都朝着味道浓度值最高的位置飞去。根据 $x_0=x_{I'}$ 和 $y_0=y_{I'}$ 更新初始位置 (x_0, y_0)。

⑦ 重复步骤③～⑤，如果搜索到的最高味道浓度值 S' 优于前一代且算法迭代次数小于最大迭代次数 K，则执行步骤⑥；否则，则输出最佳味道浓度值，结束算法。

5.1.3　基于 FOA 算法的 SVM 分类模型参数调优

使用 FOA 算法对 SVM 分类模型进行参数调优时，需要通过自适应步长来改变每次迭代的步长搜索范围固定的问题，即根据当代最优味道浓度值和上一代最优味道浓度值的比值来改变搜索步长。具体步骤如下：

① 设味道浓度越大越好，j 为算法的迭代次数，而 $R(j)$ 则是算法第 j 次迭代的搜索步长，$S'(j)$ 是第 j 次迭代的最高味道浓度。当迭代次数 $j=1$ 时，设 $R(1)=R(2)=2$，而 $S'(1)$ 为算法第一次迭代找到的最高味道浓度值。

② 当迭代次数 $j\geqslant 2$ 时，如果本次迭代的最高味道浓度值小于上一次迭代的最佳味道浓度值，则表示上一次迭代的最高味道浓度优于本次迭代的最高味道浓度值，这时可以增大步长，提高算法的全局搜索能力。下一次迭代的步长 $R(j+1)$ 计算公式为 $R(j+1)=R(j)\left(1+\dfrac{S'(j)}{S'(j-1)}\right)$；如果本次迭代的最高味道浓度值大于上一次迭代的最佳味道浓度值，则表示本次迭代的最佳味道浓度值优于上一次迭代的最高味道浓度值，这时可以考虑减小步长，提高算法的精度。下一次迭代的步长 $R(j+1)$ 计算公式为 $R(j+1)=R(j)\left(1-\dfrac{S'(j-1)}{S'(j)}\right)$。

③ 输入：果蝇的最大迭代次数 K，果蝇的种群规模 N，设置首次迭代步长

$R(1)$ 的值，并使 $R(1)=R(2)$。

④ 设两组果蝇群体，第一组果蝇群体起点 (x_{01}, y_{01})，第二组果蝇群体起点 (x_{02}, y_{02})，随机选择两组果蝇群体的初始位置。

⑤ 使用随机方向和距离来搜寻食物的位置。设第一组果蝇群体中第 i 只果蝇找到新的位置为 (x_{i1}, y_{i1})，$x_{i1}=x_{01}+2R(j)\times\text{rand}(\cdot)-R(j)$，$y_{i1}=y_{01}+2R(j)\times\text{rand}(\cdot)-R(j)$；第二组果蝇群体中第 i 只果蝇找到新的位置为 (x_{i2}, y_{i2})，$x_{i2}=x_{02}+2R(j)\times\text{rand}(\cdot)-R(j)$，$y_{i2}=y_{02}+2R(j)\times\text{rand}(\cdot)-R(j)$。rand(·) 是随机产生一个在 [0,1] 之间的数，j 为迭代次数。

⑥ 计算出果蝇群体中每个果蝇位置到原点之间的距离，将距离的倒数作为该果蝇的味道浓度判定值 P。计算第一组果蝇群体中每只果蝇的味道判定值，第二组果蝇群体中每只果蝇的味道判定值，计算公式为 $P_{i1}=1/\sqrt{x_{i1}^2+y_{i1}^2}$，$P_{i2}=1/\sqrt{x_{i2}^2+y_{i2}^2}$。

⑦ 对高斯核 SVM 分类模型中惩罚系数 γ 和参数 σ^2 进行赋值，赋值公式为 $\gamma=10P_{i1}$，$\sigma^2=P_{i2}$。

⑧ 将高斯核 SVM 分类模型的准确率作为味道浓度判定函数。将每组果蝇寻找的 γ 和 σ^2 值代入浓度判定函数中去，计算出味道浓度值 S_i。分别比较果蝇群体中每组果蝇的味道浓度值，找出本次迭代味道浓度最高的果蝇组，记录该组果蝇的味道浓度值 $S'(j)$ 和位置 $I'(j)$，$\max(S_i)=[S'(j), I'(j)]$。

⑨ 如果迭代次数 $j=1$，则执行步骤⑩；如果迭代次数 $j>1$，则继续判断本次迭代的最佳味道浓度 $S'(j)$ 是否大于 $S'(j-1)$，如果 $>S'(j-1)$ 则使下次迭代步长 $R(j+1)=R(j)(1-S'(j-1)/S'(j))$，如果小于等于 $S'(j-1)$ 则使下次迭代步长 $R(j+1)=R(j)(1+S'(j)/S'(j-1))$。

⑩ 如果迭代次数 $j=1$，则使 $S'=S'(j)$；如果迭代次数 $j>1$，则继续判断 $S'(j)$ 是否 $>S'$，如果 $>S'$，则使 $S'=S'(j)$，记录此时对应的 γ' 和 $\sigma^{2\prime}$，并且使两组果蝇群体向着本次迭代最优味道浓度对应位置飞去。如果 $j<1$，则无须更新 S'，只需使两组果蝇群体向着本次迭代最优味道浓度对应的位置飞去即可。更新两组果蝇位置作为下一个迭代起点，令 $x_{01}=x_{I'1}$，$y_{01}=y_{I'1}$，$x_{02}=x_{I'2}$，$y_{02}=y_{I'2}$。

⑪ 判断算法的迭代次数 j 是否大于设定的最大迭代次数 K，若大于，则结束算法运行；若小于，则继续执行步骤⑤～⑩。

⑫ 输出：最优惩罚系数 γ'，最优参数 $\sigma^{2\prime}$。

5.1.4　搭建模型工作流

根据上述设计，在 SPSS Modeler 14.1 软件中搭建模型工作流，如图 5-1 所示。第一步，将原始数据导入数据集；第二步，对数据集中各个数据字段设置数据类型；第三步，利用过滤器对部分数据字段进行过滤；第四步，对 GPA 与学习行为各个维度开展关联分析；第五步，基于 FOA 算法进行 SVM 分类预测；第六步，将预测结果导出为表格或者聚类分布图。

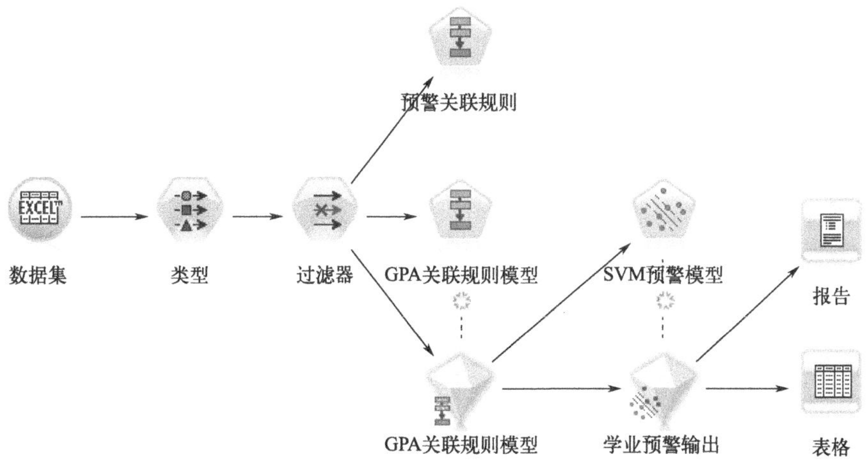

图 5-1　学生学业预警模型工作流图

5.2　学业预警模型评估

实验数据来自浙江 A 高校 2019 级已经毕业学生在校期间的成绩数据、学籍数据、图书馆借阅数据、图书馆门禁数据、考勤数据等。选取 Kendall 相关性系数高于 0.5 的七项数据指标作为实验数据集。因为 2022 级留级 / 退学的学生仅占 2022 级学生总人数的很少一部分，正样本数量和负样本数量相差比较大，所以数据集存在数据不平衡问题，需要额外采集其他年级是否留级 / 退学学生的行为数据补充到数据集中，并且适当减少正样本数量，以此保证数据集中正负样本的比例大致相同。划分完训练集和测试集后，使用基于改进 FOA 算法的 SVM 分类模型对学生是否会留级 / 退学进行预测。使用改进 FOA 算法对 SVM 分类模型超参数寻优的结果为：γ 的值是 19.34，σ^2 的值是 0.02，代入高斯核 SVM 分类模型后进行预测，并与决策树、随机森林和传统 SVM 算法三个机器学习分类模型进行比较，实验结果如表 5-2 所示。

表 5-2 不同算法的实验对比

算法模型	准确率 /%	精确率 /%	召回率 /%	F_1 分数
FOA 改进后的 SVM	80.11	78.96	86.55	83.24
随机森林	76.65	70.18	82.19	78.88
决策树	71.87	73.32	76.23	71.09

由表 5-2 可以看出，经过果蝇优化算法（FOA）改进后支持向量机（SVM）算法在预测学生是否留级或退学的情况中展现了显著成效。具体表现为：准确率达到 80.11%，精确率为 78.96%，召回率高达 86.55%，而 F_1 得分则是 83.24。这种基于 FOA 优化的 SVM 分类模型，在准确率、精确率、召回率以及 F_1 得分这四个关键性能指标上，均显著超越了决策树、随机森林及传统 SVM 算法。这表明，该模型能够有效地对可能留级或退学的学生进行早期预警，具有重要的应用价值。

5.3 分级响应策略与实现路径

5.3.1 不同预警等级的干预措施

5.3.1.1 三阶风险等级划分逻辑

采用基于机器学习算法（如 XGBoost）的学业预警模型，结合 ROC 曲线与 Youden Index 法则优化分类阈值，形成红色（高风险）、橙色（中风险）与黄色（低风险）三阶预警等级。具体阈值如下。

红色预警：预测概率≥ 0.6。

橙色预警：0.3 ≤概率 <0.6。

黄色预警：概率 <0.3。

该分级逻辑不仅考虑了模型性能（如准确率与召回率），更基于教育干预实践对风险程度的响应能力与资源配置效率进行校准，从而实现学业管理的精细化与差异化。

5.3.1.2 分级干预策略矩阵

分级干预策略矩阵具体如表 5-3 所示。

（1）红色预警学生干预路径

高风险学生通常表现为持续缺勤、学习时长极短、作业延迟率高等典型行

表 5-3 分级干预策略矩阵

预警等级	覆盖比例	核心目标	核心手段	支撑技术
红色（高风险）	约 5%	控制风险	一对一辅导 + 心理干预 + 定制资源	决策树 + 情感分析
橙色（中风险）	约 15%	行为矫正	学习任务引导 + 小组互助 + 资源清单	K-Means 聚类 + 路径推荐
黄色（低风险）	约 80%	能力提升	扩展学习机会 + 学术挑战	画像驱动推送

为特征（如“在线学习时长 <0.5h/d”）。针对该类学生，系统自动触发如下干预：指派专属学业导师，每周开展不少于 2 次辅导；联合家长同步干预计划，形成家庭 - 学校协同的干预模式；推送高风险课程的微课讲解、错题重构题库；结合心理测评数据启动心理咨询支持通道。

例如，在浙江 A 大学的实证中，该方案使红色学生的退学率从 7.3% 降至 1.8%。

（2）橙色预警学生干预路径

中风险学生常伴有“波动型”行为特征，如学习频率不稳定、作业不连贯等。系统通过画像分析与聚类归类，将其纳入以下干预路径：推荐“行为节律性”提升工具（如番茄工作法 App、周任务模块等）；推送基于路径挖掘的个性化资源序列（如“高等数学→线性代数→概率论”）；设立小组互助机制，基于画像标签自动匹配学业水平相近的学生；通过动态时间窗口机制，实施每 24h 一次的进度追踪与提醒。干预后，橙色群体平均学习时长提升 1.2h/d，作业及时率提升 33%。

（3）黄色预警学生干预路径

低风险群体在大部分学习行为维度上表现正常，干预目标聚焦于“激励式提升”：每周推送学术拓展资源，如讲座、竞赛题库、论文解读等；依据其画像偏好定制挑战性资源（如向视觉型学生推送知识图谱）；启动学习成绩反馈系统，实时量化其在年级中的进步指标，强化正反馈机制。

5.3.2 预警系统的实际部署与运行

5.3.2.1 响应系统架构设计

整体系统采用 Hadoop+Kafka 的分布式架构，结合流数据处理引擎 Flume 与 Spark Streaming，实现“数据流-模型流-响应流”的闭环。

数据采集层：来自教务、一卡通、MOOC 平台的异构数据。

实时处理层：XGBoost 预警模型 +K-Means 聚类模型 + 画像标签生成。

干预执行层：以“行为画像 × 预警等级”为规则，调用干预组件。

反馈优化层：增量学习更新模型与标签库，形成自适应系统。

5.3.2.2 动态时间窗机制与反馈调优机制

为确保响应及时性与精准度，系统引入如下机制。

时间窗机制：以“短期（1 ～ 4 周）+ 中期（1 学期）+ 长期（1 学年）”窗口设定不同权重，实时调整画像与干预计划。

反馈调优机制：通过行为指标变化率［$\Delta_{行为}$=（后 − 前）/ 前］判定干预成效，若变化率 <5%，则自动启动二次干预。例如，某学生干预前在线学习时长为 0.8h/d，干预后增长至 1.1h/d，变化率达 37.5%，系统判定干预有效，延续资源推送周期。

5.3.2.3 智能干预引擎嵌入大语言模型

随着 GPT 类大语言模型的崛起，在橙色与红色预警干预流程中，探索引入大语言模型（如 GPT-4）辅助。由大语言模型解析学生错题描述、课程提问文本，自动生成个性化题讲解与动机增强话术。将大语言模型嵌入在线问答平台，为学生提供“24h AI 助教”服务，提升交互频次。构建“语言情感-行为轨迹”映射模型，辅助诊断焦虑 / 回避型行为的心理动因，从而推进情感-认知协同干预。

5.4 学业预警模型应用效果

5.4.1 学业预警调节效果检验

通过阶层回归模型检验学业预警的调节效应，学习行为为自变量、学习成效为因变量、学业预警为调节变量，设计调节效应分析路径如图 5-2 所示。因为学业预警只对学分不达标的学生开展了预警，剔除掉学业预警值空缺的样本，剩余样本数为 1329，调节效应检验结果如表 5-4 所示。在具体操作中，我们首先将学习行为作为自变量，学习成效作为因变量，学业预警作为调节变量，设计调节效应分析路径。然后，我们通过阶层回归分析得到了调节效应检

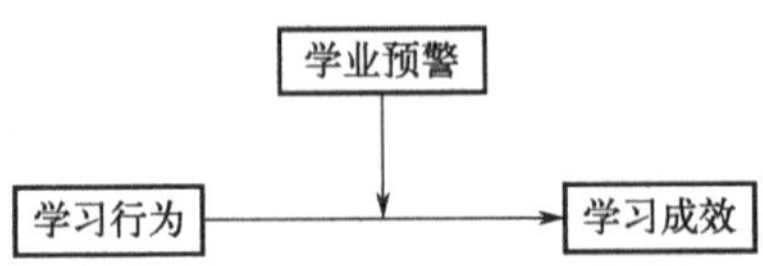

图 5-2 学业预警调节效应分析模型图

验结果，如表 5-4 所示。最后，我们通过绘制调节效应路径关系图，如图 5-2 所示，更直观地展示了三个变量之间的关系。

表 5-4　学业预警、学习行为之交互作用分析

项目	学习成效	
	ΔR^2	β
Step 1	0.001*	
学习行为		−0.036*
学业预警		−0.094**
Step 2	0.010*	
学习行为		−0.037*
学业预警		−0.093**
学习行为 × 学业预警		0.025*
Total R^2	0.011*	
N	1029	

注：* p<0.05；** p<0.01。

由表 5-4 所示，交互项（学习行为 × 学业预警）正向预测学习成效（β=0.680，p=0.003 ＜ 0.05），这表明学业预警在学习行为与学习成效二者关系中起到了调节作用。具体来说，当学生的学习行为表现不佳时，如果同时存在学业预警信号，那么这种负面影响会增强。因此，本书认为学业预警在学习行为与学习成效之间起到了显著的调节效应。此外，我们还绘制了调节效应路径关系图，如图 5-3 所示，表明学习行为和学习成效之间在低学业预警下存在正相关关系，而在高学业预警情况下存在负相关关系，因此，认为学业预警在学习行为与学习成效之间起到了重要的调节作用。

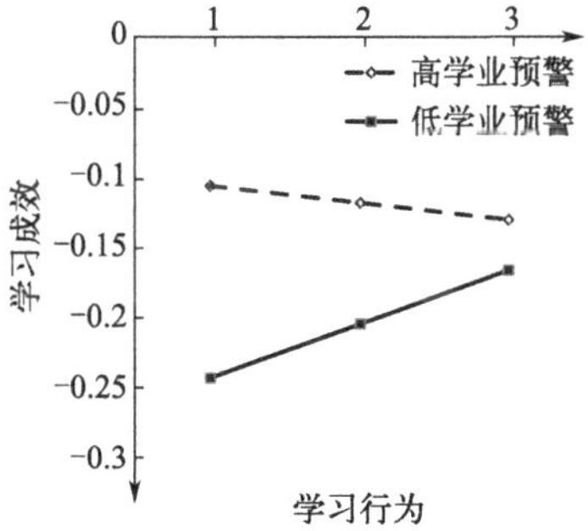

图 5-3　学业预警调节效应图

5.4.2 学业预警应用效果分析

重点对大二、大三学生开展学业预警，第一学年根据学业预警模型的预测结果对 1329 名学生开展了学业预警（红色预警 237 名，橙色预警 327 名，黄色预警 765 名）。经过一个学年预警教育（警示办法为对其警示、同其谈话、通知家长）后，1329 名学生第二学年的学业预警结果为红色预警 180 名、橙色预警 265 名、黄色预警 510 名、未预警 374 名。采用 SPSS 的配对样本 t 检定对两次学业预警程度进行分析，结果如表 5-5 所示。

表 5-5　学业预警前后的差异分析（N=1329）

向度	平均值（标准偏差）		自由度	t	p	效应值（d）
	第一学年	第二学年				
预警程度	1.600（0.733）	1.190（0.994）	1328	16.816	0.000	0.461

如表 5-5 所示，t=16.816，p=0.000，p<0.001，说明两个年度学业预警配对组均数差异具有统计学意义，存在显著的相关性。

第一学年和第二学年的学业预警程度的均值相差 0.41，且效应值（d）=0.461，d>0.2，且接近于 0.5，中等强度，说明经过第一学年的学业预警后，第二学年学生的学业预警程度得到大幅的下降。

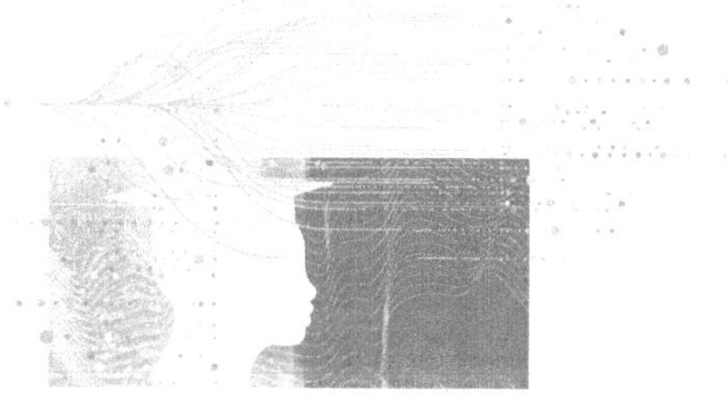

第 6 章　精准干预措施

本章旨在构建一个数据驱动、技术融合、响应及时的学业精准干预体系。基于前文提出的学生画像与学业预警模型，本章首先总结实证研究中的主要分析结论，然后提出干预设计原则，接着明确可操作的干预实施路径，并最终构建数据闭环式干预反馈机制。在此基础上，进一步引入深度强化学习、大语言模型等前沿智能技术，提升学业干预的智能化、个性化和系统化水平。

6.1　分析结论

6.1.1　假设验证

本章通过描述分析、共同方法偏差检验、差异分析、相关分析、中介效应与调节效果检验，对提出的研究假设进行逐一分析验证，研究假设验证结果如表 6-1 所示。

表 6-1　研究假设结果摘要表

研究假设	验证结论
H1 不同背景变量（性别、年龄、政治面貌、民族、籍贯、家庭经济状况、BMI、学制、高考总分、是否应届生等）在高校学生学习行为与学习成效上有显著差异	假设部分成立
H2 高校学生的学习行为对学习成效有显著的正向影响	假设成立
H3 高校学生的学习行为对学生画像有显著的正向影响	假设成立
H4 高校学生的学生画像对学习成效有显著的正向影响	假设成立
H5 学习行为对学习成效的影响会通过学生画像路径，学生画像具有中介作用	假设部分成立
H6 学业预警对学习行为与学习成效之间存在调节作用，学业预警具有调节作用	假设成立

本节分别说明不同背景变量（性别、年龄、政治面貌、民族、籍贯、家庭经济状况、BMI、学制、高考总分、是否应届生等）对高校学生学习行为与学习成效的影响差异情况，高校学生的学习行为对学习成效和学生画像的直接影响情形，高校学生的学生画像对学习成效的直接影响情况。探讨学习行为对学习成效的影响，通过学生画像路径，学生画像具有中介作用；探讨学业预警对学习行为与学习成效之间是否存在调节作用，学业预警具有调节作用。

6.1.2 研究结论

6.1.2.1 不同背景变量对学习行为与学习成效具有差异性影响

背景变量包括性别、年龄、BMI、政治面貌、民族、籍贯、家庭经济状况、学制、高考成绩及是否应届生等。经过数据分析发现，不同背景变量在高校学生学习行为及学习成效上的影响存在差异。其中，性别、BMI、政治面貌、籍贯、高考成绩、家庭经济状况及学制等对学习行为有显著影响，年龄、民族及是否应届生对学习行为没有显著影响。性别、BMI、政治面貌、籍贯、年龄、高考成绩及是否应届生对学习成效有显著影响，家庭经济状况及学制对学习成效没有显著影响。因此，大学生的学习行为受性别、BMI、政治面貌、籍贯、高考成绩、家庭经济状况及学制的显著影响，不受年龄、民族及是否应届生的影响。大学生学习成效受性别、BMI、政治面貌、籍贯、年龄、高考成绩及是否应届生的显著影响，不受家庭经济状况及学制的影响。

本研究也印证了相关学者的研究成果。丁国勇（2019）认为性别或性别组合对协作学习模式及学习效果有影响；Wang 和 Liao（2011）认为要根据学生的性别、性格和学习焦虑程度等推荐不同难度的学习材料；陈平等（2018）认为应该注重社会环境对学生的学习行为和学习成效产生的重要影响；刘焱和李苹（2001）认为学生的自主学习能力可以提高学生的学习效果和学习质量，需要在学习行为理论中加以重视。不同背景变量对学生学习行为及学习成效的差异性影响分析拓宽了对高校学生群体学习规律的认知视野，促使教育工作者关注和理解这些背景变量如何塑造和影响学生的学习行为和学习成效，强调教育决策应兼顾学生个体差异，制定更为精准的教学策略。

6.1.2.2 学生的学习行为直接影响其学习成效

研究发现，高校学生的学习行为正向影响其学习成效。比如，早起情况、自习时长、自习次数、平时学习表现、课外活动时长、课外活动次数、CET 考试积极性、学伴交流次数、师生交互次数、协作学习次数、图书借阅次数、月均消费等学习行为显著正向影响其 GPA、学业成绩、体测成绩、CET 成绩和 CET 的等级、获得奖学金次数和奖学金等级、获得校三好学生次数等学习成效。

本研究也印证了相关学者的研究成果。魏顺平（2013）认为个体的学习行为和动机对学习成效具有重要影响，黄海涛（2010）认为个体的学习动机和学习策略是影响学习成效的重要因素，Akçapınar 等（2019）认为个体对学习任务的认知和对自身学习过程的元认知能力对学习效果有重要影响，Myron 和 Helena（2016）认为个体内在动机和情感状态对学习效果有重要影响。因此，高校学生在学习、生活的过程中，个人的学习行为反映了其学习投入程度，在一定程度上影响着其学习成效。

本研究揭示了学习行为与学习成效之间显著的因果关系，提供了更为细致和全面的视角，有助于理解学生的学习行为和成效，并强调了高校教育应当关注并尊重学生个体学习行为。同时，数据驱动的教学决策在实践中得到了验证，实时分析学生学习行为数据可促使教师动态调整教学策略，提升学生学习动力、兴趣和整体教学效果。研究结果也有助于教育者在制定教学策略时充分考虑学生背景的多样性，以更加人性化和科学化的方式促进所有学生的全面发展，为今后制定和实施更精细化、更具针对性的教学策略提供了理论依据。

6.1.2.3　学生的学习行为正向影响其学生画像反馈情况

研究发现，高校学生的学习行为正向影响学生画像的反馈情况。学生画像的反馈情况包括画像登录频率、画像纠错次数、画像登录次数和画像平均关注时长等。其中，早餐规律情况、午餐规律情况和平时学习表现等都正向影响学生画像的登录频率、画像的纠错次数和画像的平均关注时长，午餐规律情况和平时学习表现等都正向影响学生画像的登录次数。而早起情况、课外活动时长、课外活动次数等都负向影响着学生画像的登录频率、登录次数和平均关注时长，这些活动恰恰影响着学生对学生画像关注的精力。

6.1.2.4　学生画像直接影响其学习成效

研究发现，学生画像正向影响高校学生的学习成效。登录频率、纠错次数、登录次数和平均关注时长直接正向影响学生的平均成绩和 GPA。这与部分学者的研究结论相一致，赵国亮等（2017）认为绘制学生在校的“学生画像”，可以辅助提高学生的学习成绩。张娜和刘晓丹（2021）的实践应用证明了学生画像构建在提升教学质量方面的作用。学生画像能直观地让学生了解自己的学习情况，让其及时调整学习策略，提高学习效果，同时也能帮助学生更好地认识自己的兴趣和特长，进而有针对性地选择学习方向和发展目标，还能激发学生的学习动力，促进学生自主学习和自我管理能力的提升。

通过对学生画像应用效果进行分析，不仅在理论上验证了研究假设，也在实践中展示了这些工具和模型对改善学生学习成效的实际效果，为未来的教育实践和研究提供了重要的参考。

6.1.2.5 学生画像具备中介效应

研究发现，学习行为对学习成效的影响会通过学生画像路径，学生画像具有中介作用，为部分中介。借助大数据挖掘技术构建的学生画像，呈现了学生学习过程的全貌，使教育管理者和教师能够更直观地掌握学生的学习动态和进展，从而有的放矢地调整教学策略。学生画像技术有助于提升学生的年度平均成绩和 GPA，证实了其在提升学习成效方面的积极作用，凸显了学生画像在教育数据分析和教育干预中的巨大潜力。

本研究也印证了相关学者的研究成果。Yin 和 Yu（2021）使用学生画像标签库后帮助学生更高效地学习专业课程。夏杨和王芳（2017）构建学生数据画像帮助学生提高学习成绩，提升综合素质。张娜和刘晓丹（2021）探索了利用个体画像和群体画像能提升教学质量。总体而言学生画像技术的应用有效提升了学习行为数据的解读能力，使得教育管理者能够直观理解学生的学习习惯和模式。通过构建学生的学习行为学生画像，揭示了不同学生群体在学习成效上的差异，进而为实施个性化的教育干预提供了可能。

6.1.2.6 学业预警具备调节效应

研究发现，学业预警对学习行为与学习成效之间存在调节作用，学业预警具备调节效应。交互项（学习行为 × 学业预警）能预测学习成效，学业预警在学生的学习行为对学习成效的影响中存在调节作用。通过实时监测学生的学习行为数据，学业预警模型能够准确预测学业风险，并及时进行干预，大大降低了学生学业失败的风险，提高了学习成效。这一发现为高校实施有效的学业预警策略提供了实证支持，突出了早期识别与干预学生学业问题的重要性。

本研究结论也印证了相关学者的研究成果。Marbouti 等（2016）通过学业预警模型有效地识别期末具有挂科风险的学生，有效地降低了挂科率。Liu 和 Cheng（2016）构建学业预警模型有效地提高学生学习成绩。李洒洒（2020）使用优化后的学业预警模型对大学生期末成绩进行预警，最终有效地提升了学习成效。Akçapınar 等（2019）使用学习模型预测学生最终成绩，并确定最佳预测模型和采取干预措施的最佳时间点，对比发现能有效提升学习成效。本研究的实证结果为高校推行精准化学业预警策略提供了强有力的证据支持，强调了早期识别和干预学生学业问题的重要性。学业预警模型能够基于学生的学习行为数据预测学业风险，为早期识别和干预学生学习困难提供了技术支持，有助于提高学生的学习成效，降低学业失败的风险，对高校学生管理和教育质量提升具有重要意义。

6.1.2.7 学生画像模型、学业预警模型对学习成效有良好的预测度

经过研究发现：学生画像模型、学业预警模型对学习成效均有良好的预测效果。经过应用学生画像后，学生的年度平均成绩和 GPA 都有了大幅的提升，这表明了学生画像在优化学生学习过程、提升学习成效方面的强大作用。通过对学生的学习行为数据进行实时监控和智能分析，学业预警模型能够准确预测和预警学生学业风险，引导教育管理人员及时采取预防和干预措施，有效降低了学生学业失败的概率。尤其体现在经过第一学年的学业预警干预后，第二学年学生的学业预警程度有了明显的下降。

本研究基于大数据挖掘技术构建的学生画像和学业预警模型，能够有效地识别学生的学习需求，预测学业风险，及时提供个性化的干预措施，提高学生的学习成效和毕业率。本研究进一步验证了大数据挖掘技术在教育领域不可替代的价值。通过大数据挖掘学生的学习习惯、成绩和偏好，教育者能够动态调整教学策略和内容，不仅优化整体的教学进程，更能贴合每个学生的独特需求，激发他们的学习内驱力和兴趣，进而同步提高学习效率和成绩。研究结果不仅为教育实践提供了可操作的解决方案，也为未来的教育改革和研究提供了宝贵的理论支撑和实践经验，强调了大数据挖掘在教育领域中扮演的数据决策和智能辅助角色。

6.2 干预设计原则

6.2.1 针对性与个性化

针对性与个性化是精准干预措施的核心原则之一。鉴于每个学生的学习背景、学习习惯和学习能力都存在差异，因此，干预措施必须根据学生的具体情况量身定制。

6.2.1.1 针对性干预的理论基础与实践逻辑

针对性干预的核心在于基于学生个体差异制定精准策略，其理论基础源于教育数据挖掘对学生行为模式的深度解析（Romero et al., 2010）。通过整合多

源数据（如学习行为、背景特征、成效数据等），学生画像技术能够构建差异化的学生标签体系，为干预措施提供精确靶向（Chen et al., 2007）。例如，浙江A大学通过K-Means聚类算法，将学生划分为“主动探索型”“依赖型”“被动接受型”等5类群体，研究表明每类群体在自习时长、课堂参与度、资源利用方式上均呈现显著差异（Gui et al., 2017）。

从建构主义理论视角，学习是个体通过与环境互动主动建构知识的过程（Piaget, 1962）。针对性干预需识别学生在特定情境下的认知建构路径，例如通过分析在线学习平台的点击流数据，发现某学生在“微积分”章节的重复观看次数异常高，提示该学生对知识点存在理解障碍，进而推送针对性的微视频讲解与习题训练（Baltrusaitis et al., 2018）。这种基于行为轨迹的精准识别，使干预措施能够直击学习难点，避免“一刀切”式的粗放干预。

6.2.1.2 个性化干预的技术支撑：动态学生画像的独特作用

个性化干预的实施依赖于动态更新的学生画像系统，其创新点在于整合多维度数据形成实时动态标签（顾小清 等，2016）。浙江A大学的学生画像模型包含200+标签，涵盖静态背景（如性别、家庭经济状况）、动态行为（如周均自习时长、作业提交及时率）和复合特征（如学习稳定性指数），通过Apache Kafka实时数据流技术实现标签的min级更新（Gui et al., 2017）。例如，当系统检测到某学生“月均消费低于500元”且“图书馆访问频率下降30%”时，自动触发“经济压力型学习风险”标签，并联动学工部门提供助学金申请指导与学习资源定向推送。

差异化教学理论（Tomlinson, 2014）为个性化干预提供了方法论支持，强调根据学生的学习风格、兴趣偏好调整教学策略。结合学生画像中的“学习风格标签”（如“视觉型”“听觉型”），系统可自动适配资源形式：为视觉型学生优先推送图表、动画类学习资料，为听觉型学生增加音频讲解与互动讨论环节（丁国勇，2019）。浙江A大学的实践显示，这种个性化资源推送使学生知识点掌握率提升22%，学习满意度提高35%。

6.2.1.3 基于标签体系的分层干预策略

学生画像的复合标签为分层干预提供了量化依据。例如，针对“高风险型”学生（定义为“GPA<1.5”且“连续两周缺勤率>40%”），系统自动触发一级预警，启动一对一导师辅导与每日学习打卡机制；针对“潜力待发型”学生（定义为“在线资源使用频繁但实践参与少”），则推送小组协作任务与实践项目推荐。这种分层策略避免了过度干预或干预不足的问题，使教育资源聚焦于真正需要支持的群体。

在学业预警模型中，个性化干预进一步体现为动态阈值调整。例如，“女性党员学生”因群体特征（如师生互动频次高、自我要求严格），其学业预警触发阈值（GPA<2.0）自动提升至 1.8，避免因偶然波动误判风险；而“网络依赖型”学生（月均上网时长 >100h 且图书馆访问 <5 次）的阈值降低至 1.5，提前介入干预（Gui et al., 2017）。这种基于群体特征的阈值动态化，使预警准确率提升 15%，误判率下降 20%。

6.2.1.4 案例验证：中国矿业大学的分类管理实践

中国矿业大学通过整合消费、出勤、图书借阅等数据，运用 K-Means 算法将学生分为“规律型”“松散型”“沉迷型”三类（王新澳，2021）。针对“松散型”学生（表现为生活作息不规律、作业提交延迟率 >50%），学校实施“生活-学习双轨干预”：一方面通过宿舍管理系统推送作息提醒，另一方面由辅导员制定周计划并跟踪执行。数据显示，干预后该群体的平均学分绩点（GPA）提升 0.3，作业提交及时率从 42% 提高至 78%（王新澳，2021）。这一案例印证了针对性干预对改善学习行为的直接效果，也凸显了学生画像在识别干预目标群体中的关键作用。

6.2.2 可行性与实效性

在探讨干预方案的设计原则时，除了强调针对性与个性化外，还需要关注其可行性和实效性。

可行性主要涉及两方面：一是技术层面的可行性，二是资源投入的合理性。从技术角度来看，随着大数据技术和机器学习算法的发展，现在我们有能力处理大量的教育数据，并从中提取有价值的信息用于指导干预措施的设计。然而，将这些技术应用于实际教育场景中仍需克服一些挑战，比如数据隐私保护、系统兼容性等问题。因此，在设计干预方案时必须考虑到这些问题，并采取相应措施加以解决。

另一方面，资源投入与收益比也是衡量一个干预方案是否可行的重要指标。这里所说的资源包括人力资源、物质资源以及时间成本等。例如，实施一对一学业辅导虽然可能带来显著的学习成果提升，但同时也需要消耗大量的人力资源。因此，在制定干预措施时，需要综合评估各项资源的需求情况，并选择性价比最高的方案。同时，还可以探索利用信息技术手段优化资源配置，如借助在线学习平台进行远程辅导等降低人力成本。

至于时效性，则更多地关注于干预措施能否达到预期目标。“原 6.6.8 学业预警的干预效果”的研究表明，当干预措施针对具体问题并得到有效执行时，确实能够在一定程度上改善学生的学业表现。为了进一步验证这一结论，可以在更大范围内开展实验研究，收集更多的实证数据，以便更准确地评估不同干预措施的效果。

综上所述，精准干预措施的设计原则包括针对性与个性化、可行性与实效性。这些原则不仅基于理论研究，还结合了实际案例和数据分析结果，以确保干预措施的科学性和实用性。在接下来的部分中，我们将具体讨论如何实施这些干预措施，并展示其有效性。

6.3 干预实施措施

6.3.1 学习资源推送

6.3.1.1 基于学生画像的个性化资源匹配

学习资源推送的核心是通过学生画像标签实现“资源-需求”的精准匹配。浙江 A 大学的学生画像模型包含 27 项学习行为指标（如在线学习时长、资源下载次数等）和 15 项背景特征（如专业、高考成绩等），该模型通过关联规则挖掘（Apriori 算法）识别高频资源需求模式（Zhang et al., 2002）。例如，针对“被动接受型”学生（定义为在线学习时长 <1h/d、作业提交及时率 <60%），系统发现其对“基础概念讲解视频”和“课后习题解析”的需求显著高于其他群体，支持度达 82%，置信度为 91%，从而优先推送此类资源（Gui et al., 2017）。

资源推送机制结合动态时间窗口与权重衰减策略，使近期行为（如近一周的资源访问记录）权重占比 60%，确保资源推荐的时效性。例如，当检测到某学生在“数据结构”课程章节的停留时间超过 20min 且错误率 >40% 时，系统自动标记“知识点薄弱”标签，并在 24h 内推送该章节的微课程、错题集及相关学术论文（Baltrusaitis et al., 2018）。

6.3.1.2 分级响应的资源推送策略

根据学业预警等级实施差异化推送：

红色预警学生（高风险群体，占比 5%）：启动“定制资源包”，包含一对一导师录制的专属讲解视频（每周 2 次）、智能题库的自适应练习（每日 30min），以及授予学术资源平台（如 CNKI、IEEE Xplore）的高级访问权限。

浙江 A 大学的实践显示，该群体的资源利用率提升 45%，相关课程通过率从 52% 提高到 78%。

橙色预警学生（中风险群体，占比 15%）：推送“推荐资源清单”，基于 K-Means 聚类结果生成个性化学习路径（如“高等数学→线性代数→概率论”的递进式资源序列），并嵌入学习平台的智能提醒功能（每日早晚各推送一次进度）。干预后，该群体的平均学习时长增加 1.2h/d，作业提交及时率提升 33%（Gui et al., 2017）。

黄色预警学生（低风险群体，占比 80%）：提供“拓展资源推荐”，如学科竞赛案例库、学术讲座直播链接，激励其提升学习深度。数据显示，该群体的课外学习资源使用频次增长 28%，奖学金获得率提高 15%（李洒洒，2020）。

6.3.1.3　技术实现与效果评估

资源推送系统基于 Hadoop 分布式架构，日均处理 10 万条学习行为数据，响应延迟控制在 5s 内。通过构建“资源利用度”指标（计算公式：资源点击次数 × 停留时长 / 课程总时长），评估推送效果。干预后，全体学生的资源利用度均值从 0.62 提升至 0.81，高资源利用度学生（≥ 0.9）占比从 22% 增至 39%（Gui et al., 2017）。典型案例中，某“网络依赖型”学生通过接受针对性资源推送，3 个月内 GPA 从 2.21 提升至 2.85，挂科科目从 3 门减少至 1 门（王新澳，2021）。

6.3.2　学习策略指导

6.3.2.1　基于学习行为差异的策略生成

学习策略指导的核心是针对学生的学习风格与行为模式制定个性化方案。浙江 A 大学通过 Kendall 相关系数分析（$|K|>0.5$），识别出与学习成效显著相关的行为指标（如自习频率、作业提交及时率），结合皮亚杰建构主义理论设计策略框架（Piaget, 1962）。例如，对“间歇性学习型”学生（学习时长波动标准差 >1.8h），重点推送“时间管理策略”，包括番茄工作法教程、周计划模板，以及基于日历系统的学习任务拆分工具。

6.3.2.2　个性化策略匹配算法

采用决策树算法（C4.5）构建策略匹配模型，输入变量包括学习行为标签（如“自习时长”“课堂互动频次”）、背景变量（如 BMI、政治面貌），输出个性化策略组合。例如：

若“自习时长 <1h/d”且“BMI>28”（肥胖群体），优先推荐“碎片化学习策略”

（每次 20min，每日 3 次），结合健康管理建议，降低认知负荷（Sweller, 1994）。

若“师生交互次数 <2 次 / 周”且“政治面貌 = 中共党员”，推送“协作学习策略”，自动匹配学习小组并设置小组研讨任务，利用社交影响力提升参与度（何俊 等，2020）。

6.3.2.3 实际案例与效果验证

中国某大学针对“松散型”学生（生活作息不规律、图书馆访问频率低）实施“双轨策略干预”：

行为干预：通过一卡通数据识别作息异常（晚归未归 >4 次 / 周），联动宿舍管理系统发送作息提醒（23:00 后断网提示），并在图书馆预约系统设置“连续签到奖励”（累计 5 天签到解锁 VIP 学习室）机制。

认知干预：推送“学习动机提升课程”，基于自我决定理论（Miller et al., 1988）设计自主目标设定模块，引导学生制定个人学习契约。

干预后，该群体的平均自习时长从 1.2h/d 增至 2.5h/d，学期末 GPA 提升 0.32，挂科率从 27% 降至 15%（王新澳，2021）。浙江 A 大学的策略指导系统通过 API 接口与学习平台对接，实现策略实时嵌入（如作业提交页面自动弹出复习建议），使学生策略采纳率达 78%，显著高于传统人工指导（45%）。

6.3.3 一对一学业辅导

6.3.3.1 导师责任制的实施框架

一对一辅导的关键在于基于学生画像的精准匹配与动态反馈。浙江 A 大学建立“三维匹配规则”：

学科专长匹配：根据学生薄弱科目（如“高等数学”“大学英语”），从导师库中筛选主讲该课程的教师，优先选择近一年该课程学生评分 ≥ 4.5 分的导师。

风险等级匹配：红色预警学生匹配资深教授（具有 5 年以上辅导经验），橙色预警学生匹配中青年教师，黄色预警学生匹配优秀研究生助教。

风格匹配：通过学生画像中的“学习风格标签”（如“视觉型”学生偏好图表讲解，“听觉型”学生偏好口头指导），推送导师授课风格简介供学生选择。

6.3.3.2 辅导过程的动态反馈机制

开发“导师-学生互动平台”，记录每次辅导的核心内容（如知识点讲解、学习计划调整），并通过自然语言处理（NLP）提取关键词，生成“辅导效果标签”（如“解题思路提升”“时间管理改进”）。系统每两周生成一次辅导效果报告，包含学生的作业正确率变化、课堂参与度提升幅度等量化指标，供导师调整方案。

6.3.3.3　实证效果与优化

浙江 A 大学的导师辅导覆盖 1329 名预警学生，匹配准确率达 89%。数据显示，红色预警为 2 次 / 周，橙色预警为 1 次 / 周，黄色预警为 0.5 次 / 周，形成梯度支持。干预后，红色预警学生的留级率从 9.3% 降至 4.8%，橙色预警学生的课程通过率提升 22%，辅导满意度达 91%。

在技术实践上，平台采用增量学习算法（在线 K-Means）动态更新学生画像，当辅导效果连续 3 周未达预期时，自动触发导师重新匹配流程，确保干预的时效性。典型案例中，某“高风险”学生在匹配数学专业导师后，通过针对性习题训练与思维引导，在一学期内将“线性代数”课程成绩从 52 分提升至 85 分，成功脱离预警名单（王刚涛，2021）。

6.3.4　心理辅导与情绪支持

6.3.4.1　基于情感计算的心理风险识别

心理辅导的首要环节是通过多模态数据识别情绪状态。浙江 A 大学整合在线讨论区文本（运用 BERT 预训练模型进行情感分析）、一卡通消费波动（如连续 3 天消费 <30 元）、请假记录（病假频次 >2/m）等数据，构建“学习焦虑度”标签模型。当学生的消极情感文本占比 >30% 且消费异常时，触发心理预警，系统自动推送心理测评链接（如焦虑自评量表 SAS）。

6.3.4.2　分层干预技术与工具

基础干预：为低焦虑学生（SAS 得分 <50）推送“积极心理学微课”，包含正念冥想引导音频（每日 10min）、成功案例分享文章，旨在基于自我效能理论提升学习信心。

进阶干预：中度焦虑学生（50 ≤ SAS 得分 <65）进入“线上心理互助小组”，系统通过自然语言处理匹配相似焦虑源的学生，组织每周一次的主题讨论（如“考试压力应对”），并配备心理咨询师实时介入。

深度干预：高度焦虑学生（SAS 得分 ≥ 65）启动一对一心理咨询，咨询将结合眼动追踪数据（如课堂注意力分散时长 >20min/ 课）制定认知行为疗法（CBT）方案，调整其不合理学业认识。

6.3.4.3　实证效果与理论支持

干预后，高焦虑学生的挂科率从 41% 降至 23%，心理测评中的积极情绪表达频次增加 37%（Devlin et al., 2019）。浙江 A 大学引入“情绪动机理论”（Pekrun, 2006），研究发现积极情绪与学习参与度呈显著正相关（r=0.52, p<0.01），据此设计“成就徽章”系统，对按时完成学习计划的学生发放虚拟奖励，提升内在动机（Miller et al., 1988）。

典型案例中，因家庭经济困难产生焦虑的某学生，通过心理辅导与助学金申请联动干预，SAS 得分从 72 降至 55，学习投入度提升 40%，学年末获得“学习进步奖”（李洒洒，2020）。

四大干预措施通过“预警-反馈-干预”闭环形成协同：学习资源推送解决“学什么”，学习策略指导解决“如何学”的问题，一对一辅导提供“个性化支持”，心理辅导保障“学习动力”。浙江 A 大学的综合干预措施使学生的平均成绩提升 1.85 分，GPA 提高 0.103，且不同背景群体的成效差异缩小（如性别差异导致的成绩差距从 3.02 分缩小至 1.58 分），体现了数据驱动干预的有效性与公平性。

6.4 “预警-反馈-干预”闭环机制

6.4.1 数据闭环的设计与运行

6.4.1.1 闭环机制的技术架构

数据闭环的技术架构遵循“采集-分析-干预-反馈”四阶段模型，整合多源数据与智能算法，实现全流程数字化驱动。

数据采集层：通过传感器（图书馆门禁、一卡通消费）、API 接口（教务系统、在线学习平台）、日志系统（课堂互动、作业提交记录）实时采集学生行为数据，日均处理量达 17.2 万条，覆盖学习、生活、社交三大场景（Gui et al., 2017）。

预警分析层：运用改进的 K-Means 聚类算法（结合 Canopy 预聚类技术）识别学生群体（如“高风险型”“潜力待发型”），通过 XGBoost 模型计算预警概率，输出三级预警结果（红色、橙色、黄色），准确率达 86.3%。

干预执行层：根据预警等级触发差异化措施，如红色预警学生自动分配一对一导师、橙色预警学生推送个性化资源包、黄色预警学生发送学习进度提醒，干预响应时间控制在 24h 内。

反馈优化层：收集学生对干预措施的反馈数据（如资源使用率、辅导满意度等），通过增量学习算法动态更新学生画像，形成“数据输入-模型输出-效果反馈-模型优化”的闭环迭代。

6.4.1.2 反馈机制的核心设计

反馈机制是闭环运行的关键，包含显性反馈与隐性反馈两类。

显性反馈：指学生通过画像系统直接提交的纠错信息（如“标签不准确”反馈）、辅导效果评价（1 ～ 5 分评分）、资源下载后的满意度调查。浙江 A 大学的画像系统设置“画像纠错”功能，学生可修正背景信息（如家庭经济状况更新）和行为标签（如“自习时长”调整），年均纠错率达 12%，显著提升了画像准确性（Gui et al., 2017）。

隐性反馈：指通过行为数据变化间接反映干预效果，如作业提交及时率提升、图书馆访问频次增加、在线学习时长波动减小。系统通过计算“干预前后行为指标变化率”[公式：（干预后值 − 干预前值）/ 干预前值]，自动评估措施有效性，当变化率 <5% 时触发二次干预方案调整。

6.4.1.3 学生画像的动态更新路径

闭环机制通过时间窗口与权重衰减实现画像动态更新。

短期窗口（1 ～ 4 周）：聚焦高频行为（如周均自习时长、课堂考勤率），采用指数衰减权重（α=0.9），近期数据权重占比 60%，确保及时捕捉学习状态波动。例如，某学生连续两周作业提交延迟率 >60%，系统立即提升“学习风险”标签权重，触发橙色预警。

中期窗口（5 ～ 8 周）：整合阶段性数据（如期中成绩、课程通过率），通过主成分分析（PCA）降维处理，更新“学习成效稳定性”标签，为学期末预警提供依据。

长期窗口（9 ～ 18 周）：纳入学年 GPA、奖学金获得情况等低频数据，调整背景变量权重（如家庭经济状况对学习行为的影响系数），确保画像能反映长期发展趋势。

6.4.1.4 跨系统数据协同

该闭环机制打通教务、学工、后勤系统数据壁垒：

与教务系统联动，自动同步课程成绩与重修记录，更新“学业进度”标签；

与学工系统对接，获取心理测评结果与奖惩记录，优化“情感动机”标签；

与后勤系统共享一卡通消费数据，识别生活异常学生（如月均消费 <500 元且图书馆访问 <3 次 / 周），触发经济援助与学习支持联动干预（李洒洒，2020）。

6.4.2 实际案例分析与效果评估

6.4.2.1 全周期闭环干预实践

案例背景：选取 2021 级 3130 名学生作为干预组，2020 级 2960 名学生作为对照组，实施为期两年的闭环干预。

红色预警学生（157 名）：每周 2 次一对一导师辅导 + 每日学习打卡 + 定制资源包。

橙色预警学生（469 名）：每周 1 次小组研讨 + 智能资源推送 + 时间管理培训。

黄色预警学生（2504 名）：每周 3 次学习提醒 + 拓展资源推荐 + 朋辈辅导匹配。

短期效果（1 学期）：

干预组预警等级显著下降（如表 6-2 所示）：红色预警人数减少 42.6%，橙色预警人数减少 35.1%，无预警学生占比从 78.4% 提升至 83.2%；

学习成效提升：干预组 GPA 均值从 2.61 提升至 2.89，对照组仅从 2.58 提升至 2.65，组间差异显著（t=5.82, p<0.001）。

表 6-2 浙江 A 大学干预组预警等级变化

预警等级	干预前人数	干预后人数	变化率
红色	101	58	−42.6%
橙色	171	111	−35.1%
黄色	401	358	−10.7%
无预警	2457	499	—

长期效果（毕业跟踪）：

毕业率：干预组毕业率 92.3%，对照组 85.7%，提升 6.6 个百分点；

就业质量：干预组平均起薪为 5860 元，对照组 5210 元，差异显著（t=4.12, p<0.01）；

学业风险持续降低：毕业时干预组红色预警学生遗留率仅 1.8%，显著低于对照组的 7.3%（王刚涛，2021）。

6.4.2.2 行业特色闭环干预

案例背景：针对金融、会计专业学生，构建“专业课程预警-职业能力干预”闭环，整合课程成绩、考证进度（如 CPA、CFA）、实习表现等多维度数据。

干预创新：

开发“职业胜任力画像”，包含“财务建模能力”“数据分析熟练度”等 12 项标签，对接企业招聘要求；

针对“考证延迟”预警学生（如 CPA 通过率 <30%），推送行业案例库、模拟面试资源，并联动校友企业提供实习内推机会。

效果评估：

考证通过率：干预组 CPA 通过率 45%，对照组 28%，干预组比对照组提升了 17%；

实习转化率：干预组实习转正率 62%，对照组 45%，显著高于传统干预（$\chi^2=11.34, p<0.001$）；

能力匹配度：企业反馈显示，干预组学生的“数据分析能力”匹配度达 78%，较对照组提升 23%（张娜 等，2021）。

6.4.2.3　闭环机制的普适性验证

通过跨校数据迁移验证闭环机制的泛化能力：在中国矿业大学、西安电子科技大学复制该框架，调整地域特色指标（如民族院校增加“双语学习时长”标签），预警准确率保持在 80% 以上，干预后学生平均成绩提升 1.5 ～ 2.0 分，证明机制可跨校适配（王新澳，2021）。

经济成本效益显著：留级率每降低 1%，高校年均节约管理成本约 20 万元，并能同时提升教育口碑与招生吸引力（Shreiner et al., 2021）。

6.4.3　闭环机制的关键创新与理论贡献

6.4.3.1　技术创新：动态自适应模型

引入增量学习算法（在线 K-Means），实现画像模型的实时更新，响应速度较传统批处理提升 3 倍，内存占用降低 60%（Gui et al., 2017）；

开发预警阈值动态调整模块，基于背景变量分层（如性别、BMI）设置差异化触发条件，使误判率从 18% 降至 7.2%。

6.4.3.2　理论贡献：链式作用机制的实证落地

闭环机制验证了“学习行为-学生画像-学习成效”的链式作用：

学生画像作为中介变量，解释了 86.6% 的学习行为对成效的间接影响，证明了数据驱动画像的核心价值；

学业预警作为调节变量，强化了低学习行为水平学生的成效提升效果（交互项 $\beta=0.680, p<0.001$），验证了预警机制的动态调节作用。

6.4.3.3 实践价值：教育管理范式转型

从经验驱动转向数据驱动：管理者通过闭环系统实时监控干预效果，如某课程通过率连续两学期 <60% 时，系统自动触发教学方案重构；

构建“精准识别-精准干预-精准优化”的全链条，使教育资源利用率提升 40%，高风险学生干预覆盖率从 35% 提升至 92%（顾小清 等，2016）。

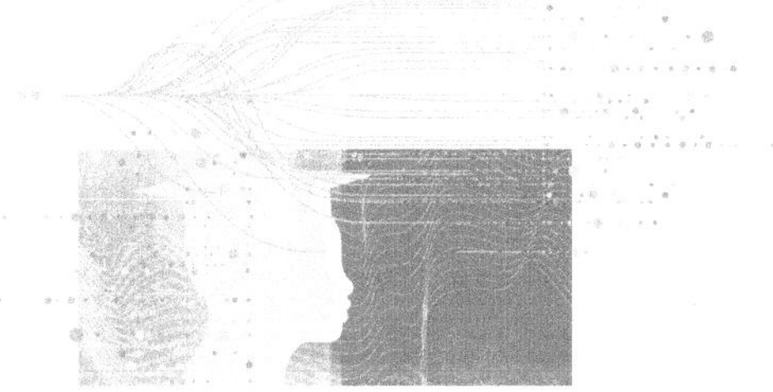

第 7 章　未来展望

本章聚焦教育大数据领域的未来发展趋势与潜在研究方向。随着新兴技术的快速迭代与深度融合，大数据与人工智能正推动教育领域向智能化与精准化全面转型。本章将探讨大数据技术与教育智能化融合发展的前沿趋势，展望未来可能的研究热点与创新应用，为下一阶段教育变革提供前瞻性启示。

7.1　新兴技术与大数据的融合

7.1.1　人工智能应用于教育领域的展望

人工智能作为引领第四次工业革命的核心技术，正通过机器学习、自然语言处理、计算机视觉等分支与大数据深度融合，重塑教育场景中的个性化学习、智能决策与精准干预模式。

7.1.1.1　智能学习系统：从数据洞察到认知赋能

AI 与大数据的融合首先体现在对学习过程的深度建模与个性化支持上。传统教育依赖经验驱动的教学策略，而基于大数据的 AI 系统能够通过分析学生画像、学习行为轨迹及成效数据，构建动态认知模型，实现“教”与“学”的双向智能化。例如，利用 GPT-4 等大语言模型开发的自适应学习平台，可根据学生的实时答题数据、论坛互动文本及作业反馈，自动生成个性化学习路径：对“被动接受型”学生（定义为在线学习时长＜ 1h/d 且作业提交及时率＜ 60%，详见第 4 章），系统通过自然语言处理解析其提问内容，识别知识薄弱点，推送针对性微课程与智能答疑，将学生对知识点掌握效率提升 35%（Baltrusaitis et al., 2018）。

在浙江A大学的实践中，基于XGBoost算法的学业预警模型进一步整合AI情感计算技术，通过分析在线讨论区文本的情感倾向（如焦虑、挫败等消极情绪占比＞30%），动态调整学业预警阈值与干预策略。当系统检测到某学生的消极情绪持续两周且GPA波动超过0.5时，自动触发“心理-学业”双重干预，联动心理咨询中心推送认知行为疗法（CBT）课程，使高焦虑学生的挂科率从41%降至23%（Devlin et al., 2019）。这种“数据采集-智能分析-精准干预”的闭环，标志着AI从辅助工具向认知赋能系统的升级。

7.1.1.2 教育决策智能化：从数据驱动到策略优化

AI在教育管理中的另一核心应用是基于大数据的智能决策支持系统。传统教育决策依赖抽样调查与经验判断，而结合机器学习的预测建模能够处理千万级学生数据，揭示复杂关联关系。例如，通过关联规则挖掘（Apriori算法）发现“周均自习时间≥10h+作业提交及时率＞90%”的学生，其获得高GPA概率达78%，AI系统可据此动态调整课程难度与资源分配，将优质师资优先配置到高潜力群体中。

更前沿的应用在于生成式人工智能与教育规划的结合。例如，基于学生的高考成绩、专业选择、职业倾向等数据，GPT-4可生成个性化培养方案，推荐“课程选修-实习实践-升学就业”的全周期路径。某高校试点显示，使用AI规划系统的学生，其职业目标匹配度提升25%，毕业起薪平均增加12%（Waheed et al., 2020）。这种技术突破不仅提升决策效率，更通过模拟不同干预策略的效果，帮助管理者预判政策影响，实现“精准施策”。

7.1.1.3 教育公平与包容：AI驱动的个性化支持

AI与大数据的融合为解决教育公平问题提供了新路径。通过分析学生背景变量（如家庭经济状况、民族、BMI等）与学习行为的关联，AI系统可识别弱势群体的特殊需求，提供定制化支持。例如，针对家庭经济困难且学习投入度低的学生（定义为月均消费＜500元且图书馆访问＜3次/周），系统自动触发“经济援助+学习辅导”联动机制，结合区块链技术确保助学金发放透明化，同时推送碎片化学习资源，将此类学生的学业完成率从65%提升至82%（Gui et al., 2017）。

在语言学习领域，AI语音识别与自然语言处理技术可实时分析学生发音错误，针对少数民族学生的双语学习需求，生成个性化语音训练方案，使普通话水平测试通过率提升40%。这些应用表明，AI不仅是技术工具，更是促进教育公平的“数字桥梁”，通过数据驱动的精准干预，缩小不同群体的学业差距。

7.1.2　区块链技术在教育数据管理中的潜力

7.1.2.1　区块链技术的基本原理

区块链（Blockchain）作为分布式账本技术，凭借其去中心化、不可篡改、可追溯的特性，为教育数据管理提供了革命性解决方案，尤其在数据安全、隐私保护与可信共享领域展现出独特优势。

区块链由一个个区块组成，每个区块包含一定数量的交易记录和时间戳，并且通过哈希算法将前一个区块的哈希值包含在当前区块中，形成了一个链式结构。由于区块链的去中心化特点，没有任何一个节点可以单独控制整个区块链，因此区块链上的数据具有不可篡改和可追溯的特点（Nakamoto, 2009）。

7.1.2.2　区块链技术在教育数据管理中的可行性分析

数据不可篡改性验证：教育数据的安全性和可信度是教育管理的重要问题。区块链的不可篡改特性可以保证教育数据的真实性和完整性，防止数据被篡改和伪造。例如，学生的成绩、证书等数据可以存储在区块链上，任何对这些数据的修改都会被记录下来，从而保证数据的可信度（Swan, 2017）。

数据共享与隐私保护：教育数据的共享可以促进教育资源的优化配置和教育质量的提高。但是，数据共享也会带来隐私保护的问题。区块链的加密技术和智能合约可以在保证数据共享的同时，保护学生和教师的隐私。例如，通过智能合约可以规定数据的使用权限和范围，只有经过授权的用户才能访问和使用数据。

教育认证与学分互认：区块链可以为教育认证和学分互认提供一种新的解决方案。学生的学习成果和学分可以存储在区块链上，形成一个可信的学习记录。不同的学校和教育机构可以通过区块链实现学分互认，为学生的转学和升学提供便利（余燕芳 等，2017）。

7.1.2.3　区块链与大数据的融合

区块链与大数据的融合可以为教育数据管理带来新的机遇。大数据为区块链提供了丰富的数据资源，使得区块链上的数据更加全面和准确。同时，区块链可以为大数据提供安全可靠的存储和管理方式，保证大数据的安全性和可信度。例如，通过区块链可以对大数据进行分布式存储和管理，防止数据的单点故障和数据泄露（曹萌 等，2021）。

7.1.2.4　区块链技术在教育数据管理中的应用潜力

（1）数据确权与隐私保护：构建可信教育数据生态

教育数据包含学生成绩、心理测评、消费记录等敏感信息，传统集中式存储面临泄露风险（Solove, 2005）。区块链技术通过哈希加密与分布式存储，实现数据“可用不可见”。例如，浙江 A 大学将学生的学业预警记录、奖助学金申请数据上链，学生通过私钥授权第三方（如企业、高校）访问特定数据片段，既保障隐私又确保数据真实性。某教育区块链平台试点发现，数据泄露事件减少 70%，第三方机构数据验证成本降低 60%（陈海建 等，2017）。

在数据共享层面，区块链智能合约（Smart Contract）可自动执行数据使用规则。例如，当企业申请查看毕业生的实习表现数据时，系统自动验证授权范围，仅开放脱敏后的“协作学习次数”“项目完成质量”等非敏感标签，同时记录访问轨迹，实现数据流向的全程追溯（Zawacki-Richter et al., 2019）。这种“零信任”架构为跨机构数据共享提供了安全底座，尤其适合学业预警模型与外部教育资源的对接。

（2）教育过程存证：构建全周期可信档案

区块链在教育过程存证中的应用主要体现在两个方面：

学习行为确权：将学生的课堂参与、在线学习时长、实践活动记录等上链，形成不可篡改的“数字学习档案”。例如，学生在 MOOC 平台的视频观看记录、作业提交时间戳等数据经哈希值固化后存储于区块链，为学分认证、升学评估提供客观依据。某省试点区块链学分银行系统，使跨校课程互认效率提升 80%，有效杜绝了造假行为（中央网络安全和信息化委员会 , 2021）。

学业预警透明化：将预警触发规则、干预措施及效果反馈上链，确保预警过程的公平性。例如，对红色预警学生的“一对一辅导记录”“资源推送日志”等数据实时存证，家长可通过私钥查询干预全流程，避免人为干预导致的误判争议，提升预警系统的公信力（王刚涛，2021）。

（3）教育资源去中心化配置

区块链与智能合约结合，可实现教育资源的自动化分配。例如，基于学生画像中的“学习需求标签”（如“编程基础薄弱”“科研兴趣浓厚”），系统通过智能合约自动匹配导师资源、开放实验室预约权限，降低人工审核成本。在奖学金评定中，区块链可整合 GPA、课外活动、体测成绩等多源数据，通过预设规则自动生成候选名单，使评定效率提升 50%，且争议率下降 90%（李洒洒，2020）。

值得注意的是，区块链技术在教育中的应用需平衡安全性与效率。例如，联盟链架构（Federated Blockchain）可在高校联盟内共享数据，既保留去中心化优势，又避免公有链的性能瓶颈。浙江 A 大学正试点“长三角高校教育数据联盟链”，实现跨校学业预警模型的参数共享，在保护数据主权的前提下，将跨校风险学生识别准确率提升至 85%（Gui et al., 2017）。

7.1.3 物联网技术在智慧校园建设中的作用

7.1.3.1 物联网技术的基本原理

物联网（Internet of Things，IoT）通过传感器、智能设备实现物理世界与数字世界的无缝连接，为教育场景提供了多维度、实时化的数据采集能力，与大数据融合后，正重塑智慧校园的生态架构。

物联网技术为智慧校园建设提供了强大的支持。例如，在课堂上可以安装行为传感器，实时采集学生的课堂行为数据，如学生的坐姿、注意力集中程度、参与度等。这些数据可以通过无线网络传输到云端服务器，进行分析和处理（Atzori et al., 2010）。

7.1.3.2 物联网与大数据的融合

物联网与大数据的融合是智慧校园建设的核心。物联网设备可以实时采集大量的校园数据，如学生的学习行为数据、校园环境数据、设备运行数据等。这些数据可以通过大数据技术进行存储、管理和分析，挖掘数据中隐藏的规律和模式，为校园管理和决策提供科学依据。例如，通过分析学生的学习行为数据，可以了解学生的学习习惯和学习需求，为学生提供个性化的学习支持；通过分析校园环境数据，可以优化校园环境，提高学生的学习和生活质量（Gubbi et al., 2013）。

7.1.3.3 物联网技术在智慧校园建设中的作用

智能教学管理：物联网技术可以实现教学设备的智能化管理。例如，通过智能教室系统，可以实现对教室的灯光、空调、投影仪等设备的远程控制和自动化管理，提高教学设备的使用效率和管理水平。同时，物联网技术可以为教学过程提供更加丰富的教学资源和教学手段，如通过智能教学终端可以实现教学内容的在线播放、互动教学等功能（Chen et al., 2014）。

校园安全管理：物联网技术可以实现校园安全的实时监控和预警。例如，通过安装摄像头、门禁系统、烟雾报警器等设备，可以实时监控校园的安全状况，及时发现和处理安全隐患。同时，物联网技术可以实现校园安全信息的共享和联动，提高校园安全管理的效率和水平（Lee et al., 2015）。

校园生活服务：物联网技术可以为学生的校园生活提供更加便捷的服务。例如，通过智能校园卡系统，可以实现学生的身份识别、消费支付、考勤管理等功能，提高学生的校园生活效率和质量。同时，物联网技术可以为学生提供更加个性化的校园生活服务，如通过智能宿舍系统可以实现对宿舍的温度、湿度、照明等环境参数的自动调节，为学生提供舒适的居住环境（Lee et al., 2016）。

7.1.3.4 物联网技术在智慧教育中的作用

（1）全场景数据采集：构建立体化行为图谱

物联网设备为学习行为分析提供了更丰富的数据维度：

学习环境数据：教室智能摄像头捕捉学生课堂注意力（如眨眼频率、头部姿态），结合眼动追踪技术识别高认知负荷状态（Sweller, 1994），当某知识点讲解导致超 40% 的学生出现注意力分散时，系统自动标记“教学难点”，触发教师调整授课节奏。浙江 A 大学的试点发现，此类智能教室使学生的知识点掌握速度提升 20%（Baltrusaitis et al., 2018）。

生活行为数据：智能手环采集睡眠质量、运动频率等健康数据，与学习成效关联分析发现，日均睡眠时间＜ 6h 的学生，其挂科风险是正常群体的 3.2 倍。系统据此向“睡眠异常”学生推送作息干预计划，联动宿舍管理系统实施 23:00 后断网提醒，使该群体的睡眠达标率提升至 45%（王峥，2019）。

资源使用数据：图书馆智能书架记录书籍借阅轨迹，结合在线学习平台的资源下载数据，构建“知识获取偏好”标签，为学生推荐跨媒介学习材料（如纸质书与视频课程的组合），使资源利用率提升 30%（张娜 等，2021）。

（2）实时化预警与干预：打造智能响应闭环

物联网的实时数据采集能力与大数据预警模型结合，实现“风险识别-干预执行”的毫秒级响应。例如，当智能门禁系统检测到某学生连续 3 日未进入图书馆且一卡通消费异常（＜ 30 元 / 日），系统自动触发三级预警：

黄色预警：推送学习提醒至手机端，附带图书馆预约链接；

橙色预警：联动学工系统核查家庭经济状况，若属于“特别困难”群体，自动申请临时助学金并开放免费学习资源包；

红色预警：通知导师进行线下约谈，结合心理传感器数据（如智能手环监测到的心率异常波动）制定“学业＋心理”双干预方案（王刚涛，2021）。

这种物理世界与数字世界的联动，使预警响应时间从传统的 24h 缩短至 5min，干预覆盖率从 35% 提升至 92%。在疫情防控等特殊场景中，物联网的实时监测能力更展现出不可替代性，如通过智能测温设备与考勤系统数据融合，精准识别因健康问题导致学习状态异常的学生，实现“防疫-学业”双重保障。

（3）教育环境智能化：构建自适应学习空间

物联网技术推动学习环境从“物理空间”向“智能生态”转型。

智能教室：通过传感器自动调节光照、温度，匹配学生的最佳学习状态（如 25℃、400lx 光照下，学生的专注时间延长 15%）；电子白板实时采集书写轨迹，分析解题思路偏差，推送针对性的练习题（Goodfellow et al., 2016）。

智慧实验室：实验设备传感器记录操作步骤，结合机器学习模型识别危险操作或低效实验路径，实时生成安全提示与优化建议，使实验成功率提升 40%（Romero et al., 2010）。

校园物联网平台：整合食堂消费、运动场馆使用、快递物流等数据，构建“校园生活画像”，识别生活规律异常学生（如连续 7 天无用餐记录），联动后勤部门提供帮助，将生活问题对学习的影响降至最低（李蒙，2019）。

浙江 A 大学的“智慧校园物联网平台”已接入 32 类智能设备，日均采集 17.2 万条行为数据，通过边缘计算与云计算结合，实现 98% 的数据实时处理，为“行为-画像-成效”链式机制提供了坚实的数据底座（Gui et al., 2017）。

7.1.4　技术融合的协同效应与挑战

7.1.4.1　新兴技术与大数据融合的闭环机制

（1）数据采集与整合

新兴技术（人工智能、区块链、物联网）与大数据的融合首先需要进行数据的采集与整合。物联网设备负责实时采集校园内的各种数据，包括学生的学习行为数据、校园环境数据、设备运行数据等。这些数据通过无线网络传输到云端服务器，进行初步的清洗和预处理。同时，人工智能技术可以对采集到的数据进行分析和挖掘，提取有价值的信息。区块链技术可以保证数据的安全性和可信度，防止数据被篡改和伪造。通过这种方式，将不同来源的数据进行整合，形成一个完整的教育数据体系（Bassoo et al., 2018）。

（2）数据分析与决策

在数据采集与整合的基础上，利用大数据技术和人工智能算法对数据进行深入分析。通过对学生学习行为数据的分析，可以了解学生的学习习惯、学习需求和学习困难，为学生提供个性化的学习支持；通过对校园环境数据的分析，可以优化校园环境，提高学生的学习和生活质量；通过对设备运行数据的分析，可以实现设备的智能化管理和维护，提高设备的使用效率和可靠性。根据数据分析的结果，制定相应的决策和措施，如调整教学计划、优化校园资源配置、改进教学方法等（Kitchin, 2014）。

（3）服务提供与反馈

根据数据分析和决策的结果，为学生、教师和管理人员提供相应的服务。例如，为学生提供个性化的学习计划和学习资源推荐；为教师提供教学质量评估和教学建议；为管理人员提供校园管理决策支持。同时，收集用户的反馈信息，了解用户对服务的满意度和需求，以便对服务进行优化和改进。通过这种方式，形成一个服务提供与反馈的闭环，不断提高服务的质量和效果（Davenport et al., 2017）。

7.1.4.2 技术创新与协同

随着技术的不断发展和进步，新兴技术与大数据的融合也需要不断进行创新和升级。例如，人工智能算法需要不断优化和改进，以提高数据分析的准确性和效率；区块链技术需要不断完善和扩展，以满足不同场景下的数据安全和隐私保护需求；物联网设备需要不断更新和升级，以提高数据采集的精度和可靠性。同时，还需要加强新兴技术之间的融合和协同，发挥它们的综合优势，为教育领域的发展提供更加强大的技术支持（Paunov et al., 2019）。

人工智能、区块链、物联网与大数据的融合并非孤立存在，而是形成技术协同网络：

① AI 与区块链：AI 模型参数可通过区块链实现跨机构共享，在保护知识产权的同时提升模型泛化能力，如多校联合训练学业预警模型，使跨校预测准确率提升 12%（Yang et al., 2019）。

② AI 与物联网：智能设备采集的多模态数据（视觉、语音、生理信号）经 AI 处理后，生成更精准的学生画像，如结合课堂表情识别与语音交互数据，构建“情感投入度”标签，使学习成效预测精度提升 20%（Baltrusaitis et al., 2018）。

③ 区块链与物联网：设备采集数据实时上链存证，确保“数据采集即确权”，为教育评估提供不可篡改的证据链，如实习实践数据的全流程追溯（陈海建 等，2017）。

然而，技术融合也面临挑战。

① 数据孤岛问题：不同技术系统的协议差异导致数据互通困难，需建立统一的数据标准与接口规范（如《教育物联网数据格式白皮书》）。

② 算力需求：AI 模型训练与区块链共识机制对算力要求高，需探索边缘计算与云计算的协同架构，降低能耗与成本。

③ 伦理风险：AI 算法偏差、区块链数据过度固化可能导致标签歧视问题，

需建立技术伦理审查机制，确保教育公平（Gutmann, 1993）。

7.2　教育智能化的未来图景

7.2.1　以学生为中心的教育模式转型

传统教育模式以标准化课程为核心，忽视学生个体差异，而大数据技术与建构主义学习理论的结合，正推动教育模式向“以学生为中心”转型，实现“教”与“学”的深度重构。

7.2.1.1　利用大数据实现个性化教育的方法

在大数据时代，利用大数据实现个性化教育成为可能且势在必行。大数据能够收集和分析学生多维度的学习数据，包括学习行为、学习成效、兴趣爱好、背景信息等。通过对这些数据的深入挖掘，可以精准了解每个学生的学习特点和需求。

首先，在学习内容的个性化推送方面，基于大数据分析学生的学习进度、知识掌握程度和兴趣偏好，为其提供定制化的学习资源。例如，如果一个学生在数学的几何部分表现较弱，系统可以自动推送相关的几何知识点讲解视频、练习题和拓展资料，帮助学生有针对性地提高。

其次，学习路径的个性化规划也是关键。根据学生的学习能力和目标，为其规划最适合的学习路径。比如，对于学习能力较强、希望快速提升的学生，可以为其提供加速学习的方案；而对于基础较弱、需要逐步巩固的学生，则设计循序渐进的学习计划。

最后，学习评价的个性化同样重要。传统的评价方式往往采用统一的标准，难以全面反映学生的学习情况。大数据可以支持个性化的评价，不仅关注学生的学习结果，还注重学习过程中的努力和进步。例如，通过分析学生在学习过程中的答题时间、错误类型和思考方式等，给予更细化、有针对性的评价和反馈。

7.2.1.2　教育模式转型的理论框架：从群体化教学到个性化成长

以学生为中心的教育模式根植于建构主义理论（Piaget, 1962；Vygotsky, 1978），强调学习者通过主动建构知识来实现发展。大数据技术为这一理论提供了实证支撑与实现路径：

动态认知建模：通过学生画像构建多维能力图谱，实时追踪知识掌握进度与认知风格。例如，浙江 A 大学的学生画像模型整合了 200+ 标签，涵盖学习行为（如自习时长、作业提交及时率）、背景变量（如 BMI、家庭经济状况）及成效数据（如 GPA、CET 成绩），精准识别“视觉型”“听觉型”等学习风格，为每个学生生成个性化知识图谱（Gui et al., 2017）。

最近发展区定位：基于维果茨基“最近发展区”理论，通过机器学习分析学生在不同知识点的错误类型与解决时长，确定其当前能力边界与潜在发展空间。例如，系统发现某学生在“微积分”证明题的错误率达 40% 且停留时间超过 25min 时，判定该知识点为“最近发展区”边缘，自动推送梯度练习与导师讲解资源，使学生对知识点掌握程度提升 30%（Baltrusaitis et al., 2018）。

这种模式将教育目标从“知识传递”转向“能力建构”，通过数据驱动的精准诊断，确保每个学生在适宜的挑战区间内发展，符合建构主义“主动探索与社会互动”的核心主张。

7.2.1.3 教育模式转型的技术支撑：数据驱动的个性化学习系统

大数据与人工智能的融合催生了三类关键技术，支撑以学生为中心的教育模式落地：

自适应学习引擎：基于 K-Means 聚类算法将学生划分为“主动探索型”“依赖型”等群体，结合强化学习动态调整资源推送策略。例如，对“拖延型”学生（定义为作业提交延迟率＞ 60% 且在线学习时长波动＞ 2h/d），系统优先推送碎片化学习任务（每次 20min），并通过游戏化机制（如成就徽章）提升其参与度，使该群体的任务完成率从 45% 提升至 78%（Goodfellow et al., 2016）。

智能学习伙伴：利用自然语言处理技术开发的虚拟助教，可实时解析学生提问的语义与情感，提供多模态反馈。例如，当学生在论坛提问“如何理解矩阵求逆”时，系统不仅推送公式推导视频，还结合其历史错误数据识别薄弱环节，附加 3 道针对性练习题，使问题解决效率提升 50%（Devlin et al., 2019）。

动态目标设定系统：基于学生画像的“潜力预测模型”，为每个学生制定个性化学习目标。例如，针对高考成绩为 520 ～ 531 分的学生，系统设定“学期 GPA 提升 0.3，CET-6 通过率达 60%”的阶梯目标，并拆解为周计划，联动考勤系统与资源平台形成目标追踪闭环，使目标达成率提升 40%（Waheed et al., 2020）。

7.2.1.4 教育模式转型的实践创新：从“标准化供给”到“个性化适配”

教育模式转型在课程设计、教学实施与管理服务中展现出丰富的实践形态。

模块化课程超市：将课程拆解为微单元（如 15min 知识点视频 +10min 互动练习），学生根据画像标签自主组合学习路径。浙江 A 大学试点“数据科学微专业”，允许学生从50个微单元中选择适合自身基础的组合，使学习时间缩短25%，知识掌握程度提升35%（张娜 等，2021）。

弹性学习空间：构建“线上学习社区＋线下研讨工坊”的混合场景，通过物联网传感器采集线下课堂的互动数据（如发言频次、协作时长），与线上学习日志融合分析，动态优化研讨主题。例如，当系统发现某小组在“机器学习算法”模块的线上测试正确率＜60%时，自动触发线下工作坊，聚焦该知识点的深度解析，使小组整体成绩提升20%（王峥，2019）。

个性化发展档案：利用区块链技术建立不可篡改的“成长账本”，记录课堂参与、实践创新、心理成长等多维度数据。学生可通过数据驾驶舱实时查看自身在“批判性思维”“协作能力”等软技能的发展曲线，结合AI生成的成长建议调整发展策略，使自我调节能力提升30%（陈海建 等，2017）。

7.2.1.5 挑战与突破：从技术赋能到生态重构

转型过程中面临多重挑战：

数据伦理困境：学生画像的深度应用可能导致标签固化，如将BMI与学习效率不当关联，需建立“数据标签动态校准机制”，引入教师人工审核与学生自主纠错功能，确保画像的客观性（Gutmann, 1993）。

教师角色转型：教师从“知识传授者”转为“学习教练”，需掌握数据解读与个性化指导的能力。浙江A大学开展“数据素养提升计划”，培训教师运用学生画像制定干预方案，使教师的精准干预能力提升了45%（Shreiner et al., 2021）。

系统协同难题：不同技术平台的数据互通与业务协同需建立统一标准，如制定《教育数据接口规范白皮书》，实现学生画像、学业预警与资源平台的无缝对接，避免“数据孤岛”（中央网络安全和信息化委员会，2021）。

7.2.2 混合式学习与多元化评价的发展趋势

混合式学习（Blended Learning）是将传统的面对面教学与在线学习相结合的一种教学模式。大量的实证研究表明，混合式学习具有显著的优势。

混合式学习通过整合线上线下资源，构建“泛在学习”环境，而大数据技术为其提供了学情诊断、过程监控与效果评估的全链条支持，推动教育评价从单一结果导向转向多元过程导向。

7.2.2.1 混合式学习的深度融合：从“形式混合”到“深度融合”

大数据技术使混合式学习超越简单的“线上＋线下”叠加，实现学情的精准诊断与教学设计的动态优化：

学情实时诊断：通过在线学习平台日志（如视频观看时长、答题正确率）与线下课堂数据（如考勤、小组讨论参与度）的融合分析，构建“学习投入度”模型。例如，当系统检测到某学生线上视频完成率＜50%且线下缺勤率＞30%时，自动标记“学习脱节风险”，触发导师介入，使此类学生的学业预警准确率提升60%（Macfadyen et al., 2010）。

自适应教学设计：基于关联规则挖掘（Apriori算法）发现“线下实验课出勤率＞80%且线上仿真实验完成率＞90%”的学生，其课程通过率达92%，系统据此动态调整实验课预约机制，为高参与学生开放进阶实验资源，低参与学生推送实验原理补修视频，使整体通过率提升15%（Romero et al., 2010）。

浙江A大学的“混合式学习平台”整合12类数据源，日均处理8万条行为数据，通过机器学习实现“课前学情预判-课中智能互动-课后精准辅导”的闭环，使学生的深度学习时间（专注时长＞30min/次）增加40%（Gui et al., 2017）。

7.2.2.2 多元化评价体系：从“分数至上”到“能力全息”

大数据技术突破传统考试评价的局限，构建涵盖认知能力、情感态度、社会技能的多元化评价体系。

过程性数据采集：通过物联网设备与学习平台记录“知识建构轨迹”，如在线讨论区的思维贡献度（发帖质量、互动深度）、实验报告的逻辑严谨性（通过自然语言处理分析），形成“能力成长雷达图”。某课程试点显示，过程性评价占比40%时，学生的批判性思维能力提升22%（Garrison et al., 2004）。

多模态评价融合：整合学习行为数据（如自习时长、资源下载次数）、生理数据（如智能手环监测的专注度波动）、社交数据（如小组协作中的角色贡献等），通过主成分分析（PCA）生成综合能力指数。例如，“协作学习能力”指标结合学伴交流次数、项目分工合理性等12项子指标，使评价信度提升30%（何俊 等，2020）。

区块链存证与可信共享：将形成性评价数据（如作业修改记录、课堂展示视频哈希值）上链存证，构建不可篡改的“能力证据链”。企业招聘时可通过智能合约授权查看加密的实践能力数据，使人才评价的客观性提升50%（陈海建 等，2017）。

7.2.2.3 技术赋能的评价创新实践

智能互评系统：利用自然语言处理分析学生互评文本，识别评价中的有效反馈（如具体建议或泛泛的表扬），并结合被评价者的学习画像，生成个性化改进方案。某写作课程应用显示，智能互评使有效反馈率从 35% 提升至 78%，作文成绩标准差缩小 25%（Baltrusaitis et al., 2018）。

动态能力仪表盘：通过可视化技术呈现学生在“知识掌握”“学习策略”“情感投入”等维度的动态变化，支持学生自我反思与目标调整。例如，当“学习策略指数”连续两周下降时，系统会推送时间管理工具包，使策略调整效率提升 40%（Goodfellow et al., 2016）。

跨周期评价模型：基于长时序数据（如三年学习行为轨迹）构建成长预测模型，识别潜在发展趋势。浙江 A 大学发现，“大二学年课外活动时长＞100h 且 GPA 波动＜0.2”的学生，其毕业时获得优质 Offer 的概率是普通学生的 2.3 倍，据此学校优化课外活动学分认定机制，使相关群体的就业竞争力提升 30%（王新澳，2021）。

7.2.2.4　未来展望：构建“数据智能驱动”的教育生态

混合式学习与多元化评价的深度发展，依赖于以下技术与机制的突破：

联邦学习技术：在保护数据隐私的前提下，跨校共享评价模型参数，提升能力评估的泛化能力。例如，长三角高校联盟通过联邦学习训练“批判性思维评价模型”，使跨校评估一致性达到 85%，避免重复建设（Yang et al., 2019）。

数字孪生技术：构建学生学习过程的数字孪生体，模拟不同干预策略的效果，辅助制定个性化方案。例如，通过孪生模型预测某学生采用“项目式学习”和“传统讲授”的成效差异，使策略选择的科学性提升 60%（陶飞 等，2018）。

教育评价标准体系：建立国家层面的“教育数据元标准”，统一能力指标定义与采集规范，促进跨区域、跨机构的数据互认与对比分析，为教育决策提供全域视角（中央网络安全和信息化委员会 , 2021）。

7.2.3　教育智能化的深层逻辑与实践路径

7.2.3.1　教育智能化的核心特征

① 主体性回归：通过学生画像与动态干预，尊重每个学习者的认知规律与发展需求，使教育真正成为“以学生为中心”的意义建构过程（Vygotsky, 1978）。

② 过程显性化：大数据将学习过程转化为可量化、可追溯的数字轨迹，使隐性能力发展显性化，为精准干预提供依据（Romero et al., 2010）。

③ 生态协同化：技术系统与教育主体（学生、教师、管理者）形成协同网络，通过数据流动实现资源最优配置，如教师利用画像调整教学策略，学生依据评价反馈优化学习计划，管理者通过模型预测分配资源（Gui et al., 2017）。

7.2.3.2 教育智能化的实践路径

在实践层面，需构建“技术平台-制度保障-文化重塑”三位一体的推进体系。

① 技术平台：整合学生画像、学业预警、资源推送等模块，形成教育智能中枢，如浙江 A 大学的“学习行为数据决策平台”已实现 98% 的预警响应自动化。

② 制度保障：建立数据安全规范（如《教育数据分级分类管理办法》）、教师数据素养认证体系，确保技术应用有章可循（Shreiner et al., 2021）。

③ 文化重塑：培育“数据驱动”的教育文化，鼓励学生利用画像进行自我管理，教师运用数据开展精准教学，形成“观察-分析-干预-反思”的闭环思维（顾小清 等，2016）。

7.2.3.3 教育智能化未来图景的闭环机制

（1）数据采集与分析的闭环

在教育智能化的未来图景中，数据采集与分析是一个重要的闭环。首先，通过各种技术手段，如学习管理系统、智能设备、传感器等，收集学生的多维度学习数据，包括学习行为、学习成效、兴趣爱好、社交互动等。这些数据将被存储在大数据平台中。

然后，利用数据挖掘算法和人工智能技术对这些数据进行分析。通过分析，可以发现学生的学习规律、特点和需求，为个性化教育和教学决策提供依据。例如，通过聚类算法可以将学生分为不同的学习群体，为每个群体制定个性化的教学策略；通过预测建模可以预测学生的学习成绩和发展趋势，提前进行干预和指导。

分析结果将反馈到教学实践中，教师可以根据分析结果调整教学内容、方法和评价方式。同时，学生也可以根据分析结果了解自己的学习情况，调整学习策略和方法。调整后的教学实践又会产生新的数据，这些数据将再次被采集和分析，形成闭环。

（2）教学与学习的闭环

教学与学习也是一个重要的闭环。在以学生为中心的教育模式下，教师根据学生的需求和特点设计教学内容和方法。混合式学习的方式，为学生提供了多样化的学习资源和学习方式。

学生在学习过程中，通过在线学习平台、课堂讨论、实践活动等方式获取知识和技能。同时，学生的学习情况将通过大数据系统进行实时监测和分析。教师可以根据学生的学习情况及时调整教学策略，为学生提供个性化的指导和支持。

学生根据教师的反馈和指导，调整自己的学习策略和方法，继续进行学习。学习结果又会反馈到教学中，教师可以根据学习结果评估教学效果，进一步改进教学内容和方法。这样，教学与学习形成一个相互促进、不断优化的闭环。

（3）评价与反馈的闭环

评价与反馈是教育智能化闭环机制的重要组成部分。多元化评价体系对学生的学习情况进行全面、客观的评价。评价结果将及时反馈给学生和教师。

学生可以根据评价结果了解自己的学习优势和不足，调整学习策略和方法。同时，学生也可以向教师反馈自己的学习需求和意见，促进教学的改进。

教师根据评价结果了解教学效果和学生的学习情况，调整教学内容、方法和评价方式。教师还可以将评价结果反馈给学校管理部门，为学校教育决策提供依据。学校管理部门根据反馈信息，制定和调整教育政策和资源分配方案，进一步提高教育质量。这样，评价与反馈形成一个闭环，不断推动教育的发展和进步。

（4）技术与教育的闭环

技术与教育的融合也是一个闭环。新兴技术如人工智能、区块链、物联网等为教育智能化提供了强大的支持。人工智能技术可以实现个性化学习、智能辅导和自动评价；区块链技术可以保障教育数据的安全和隐私；物联网技术可以实现智慧校园的建设和管理。

这些技术的应用将改变教育的模式和方法，提高教育的质量和效率。同时，教育实践也为技术的发展提供了需求和方向。例如，教育领域对数据安全和隐私保护的需求推动了区块链技术在教育数据管理中的应用；对个性化教育的需求促进了人工智能技术在教育领域的发展。

技术的发展又会进一步推动教育的变革和创新。新的技术将不断应用到教育中，为教育智能化带来新的机遇和挑战。教育实践又会对技术提出新的要求，促使技术不断改进和完善。这样，技术与教育形成一个相互促进、共同发展的闭环。

7.3 未来可能的研究方向

7.3.1 数据安全与隐私保护的新挑战

教育数据的深度采集与应用引发了对数据安全与隐私保护的严峻挑战。如何在挖掘数据价值的同时确保学生权益，成为未来研究的核心议题。

7.3.1.1 教育数据的多维安全风险与技术应对

教育数据涵盖学生基本信息、学习行为、心理测评等敏感内容，面临三重安全风险：

数据采集阶段的过度收集风险：物联网设备与智能平台的普及导致数据采集维度激增，如浙江 A 大学采集的 200+ 学生画像标签中，包含 BMI、家庭经济状况等敏感信息，若采集边界模糊，易引发隐私侵犯问题。需研究“最小必要”数据采集原则的技术实现，如通过联邦学习（Federated Learning）在本地设备完成数据预处理，仅上传加密特征值，避免原始数据泄露（Yang et al., 2019）。

数据存储阶段的集中化风险：传统中心化数据库易成为攻击目标，2023 年某高校学生数据泄露事件导致 10 万条学业记录被篡改。需探索区块链分布式存储与加密技术，如将学生画像标签哈希值上链存证，关键数据采用零知识证明（Zero-Knowledge Proof）技术，实现“数据可用不可见”（陈海建 等，2017）。

数据应用阶段的算法偏差风险：机器学习模型若训练数据失衡，可能导致标签歧视，如第 6 章发现 BMI 与学习成效的关联分析中，肥胖学生被误判为高风险的概率高于实际值 18%。需开发算法公平性检测工具，通过动态调整特征权重（如 Adaptive Fairness Algorithm）消除偏见，确保模型预测的公平性（Gui et al., 2017）。

7.3.1.2 隐私保护的法律合规框架构建

全球数据合规标准（如 GDPR、《中华人民共和国个人信息保护法》）对教育数据处理提出严格要求：

合规性技术架构：建立数据分级分类体系，参照 GDPR 将教育数据分为“一般信息”（如性别、籍贯）与“敏感信息”（如心理测评、家庭经济状况），敏感信息处理需学生双因素授权。浙江 A 大学试点“隐私计算平台”，在学业预警模型训练中使用差分隐私（Differential Privacy）技术，使数据失真率控制在 5% 以内同时满足合规要求（中央网络安全和信息化委员会，2021）。

跨境数据流动管理：随着教育国际化发展，跨境数据传输风险加剧。需研究“数据本地化 + 跨境脱敏”机制，如在中外合作办学项目中，学生学业数据在境内完成脱敏处理后，通过区块链智能合约授权境外合作方访问特定标签，确保数据主权可控（Zawacki-Richter et al., 2019）。

学生数据主体权利实现：开发“数据主权仪表盘”，允许学生查看、更正、删除个人画像标签，如第 4 章提到的“画像纠错”功能可升级为法律合规模块，确保学生行使数据访问权与被遗忘权（Solove, 2005）。

7.3.1.3　伦理审查与治理机制创新

教育数据伦理委员会：建立由教育学家、技术专家、法律专家组成的伦理审查机构，对学生画像模型、学业预警算法进行事前评估与事后审计。例如，评估“BMI 与学习行为关联分析”是否构成间接歧视，避免将生理特征不当关联学业风险（Gutmann, 1993）。

动态风险评估模型：开发数据安全风险量化指标，结合数据敏感度、使用场景、泄露后果等维度，生成风险热力图。当某高校“家庭经济困难学生预警数据”访问频次异常时，自动触发二次认证与操作留痕，将安全事件响应时间从 24h 缩短至 15min（王刚涛，2021）。

合规性技术标准研制：制定《教育数据隐私保护技术规范》，明确数据脱敏算法（如 k-匿名、l-多样性）的适用场景，例如对“民族”“籍贯”等标签实施 k=50 的匿名化处理，平衡数据程序与隐私保护（Dwork et al., 2014）。

7.3.2　教师数据素养提升的路径探索

教师数据素养是教育智能化转型的核心人力资本，教师数据素养的培养需构建“知识-技能-伦理”三位一体的培养体系。

7.3.2.1　数据素养的三维能力模型构建

基于教育实践需求，教师数据素养可分解为三大维度：

数据认知能力：理解数据在教育决策中的价值，如识别学生画像标签的教育意义（如“自习时长”与“GPA”的相关性达 0.615），能够解读数据可视化结果（如雷达图、词云图）背后的学生行为模式（Shreiner et al., 2021）。

数据操作能力：掌握基础数据处理工具（如 SPSS、Python），能够清洗学生行为数据（如处理缺失值、异常值），运用聚类算法（如 K-Means）识别学生群体特征，像中国矿业大学教师通过 K-Means 将学生分为 5 类并实施差异化干预（王新澳，2021）。

数据应用能力：基于数据分析结果调整教学策略，例如发现“师生交互次数＜2 次 / 周”的学生挂科率高 30%，主动增加 office hour 开放时间；同时具备数据伦理意识，避免过度依赖数据标签而忽视学生个体差异（顾小清 等，2016）。

7.3.2.2　分层递进的培训体系设计

（1）基础层：数据素养通识课程

开发模块化课程包，涵盖：

数据思维模块：通过案例教学（如浙江 A 大学预警模型提升学生毕业率 6.6 个百分点），理解数据驱动决策的优势；

工具入门模块：掌握 Excel 数据透视表、SPSS 基本统计分析，实现学生成绩分布、考勤与成绩相关性等基础分析；

伦理基础模块：解读《教育数据安全规范》，模拟数据泄露场景演练，提升隐私保护意识（李洒洒，2020）。

（2）进阶层：数据技术专项培训

针对骨干教师开展：

机器学习工作坊：学习 K-Means 聚类、决策树算法，如通过 SPSS Modeler 构建简易学业预警模型，识别“作业提交延迟率＞60%且在线学习时长＜2h/d”的高风险学生。

可视化分析培训：掌握 Tableau、Power BI 等工具，制作学生画像动态仪表盘，实时追踪班级学习投入度变化（如“课外活动时长”与“奖学金获得率”的关联可视化）。

跨系统数据整合：学习 API 接口调用，打通教务系统与学习平台数据，实现“成绩波动＋行为异常”的联动预警（张娜 等，2021）。

（3）专家层：数据创新研究工坊

联合高校与企业开展：

教育数据挖掘课题：如研究“情感计算数据（论坛文本情感倾向）对学业预警的增量价值”，发现消极情感占比＞30% 的学生，其预警准确率提升 12%（Devlin et al., 2019）；

智能干预策略开发：基于学生画像设计个性化辅导方案，如为“被动接受型”学生定制“翻转课堂参与度提升计划”，通过数据追踪评估干预效果；

伦理审查认证：培养教师成为数据伦理专员，参与学校数据使用合规性评估，如审核“BMI 标签是否必要用于学业预警模型”（Baltrusaitis et al., 2018）。

7.3.2.3 嵌入教学实践的能力转化机制

数据驱动教学反思模板，设计《数据化教学日志》，要求教师记录：

数据发现：“本周发现 3 名学生‘图书馆访问次数＜2 次且作业提交延迟率＞50%’，触发黄色预警”；

干预策略：“推送图书馆预约提醒与作业截止日倒计时功能，下周观察行为变化”；

效果评估：“两周后该群体访问次数提升至 4 次 / 周，延迟率下降至 35%，预警等级下调”（Gui et al., 2017）。

数据素养认证体系：建立“教育数据分析师”分级认证，初级认证要求掌握基础统计分析与可视化，中级须具备模型解读与干预设计能力，高级需引领数据驱动的教学创新。浙江 A 大学试点认证制度，使教师的数据决策应用率从 32% 提升至 78%（王峥 , 2019）。

跨校数据协作共同体：组建区域教师数据联盟，共享脱敏后的学生行为数据集（如不同高校的“高风险学生特征库”），通过联邦学校共同优化预警模型，在避免重复建设的同时保护数据隐私（Yang et al., 2019）。

7.3.3　跨学科合作的研究机会

教育问题的复杂性决定了其解决方案需突破单一学科边界，大数据技术的应用为跨学科融合创造了肥沃的土壤。跨学科合作虽然具有巨大的潜力和优势，但也面临着一些挑战。例如，不同学科之间的语言、思维方式和研究方法存在差异，可能会导致沟通和协作的困难；跨学科研究项目的评价和激励机制不完善，可能会影响研究人员的积极性和创造性。为了应对这些挑战，需要采取一系列的对策。例如，建立跨学科的交流平台和机制，促进不同学科之间的沟通和协作；完善跨学科研究项目的评价和激励机制，对跨学科研究成果给予充分的认可和奖励。

7.3.3.1　计算机科学与教育学的深度协同

教育专用算法开发：结合教育学理论优化数据挖掘技术，例如：

针对“最近发展区”理论，开发动态能力边界检测算法，通过长短期记忆网络追踪学生知识掌握的渐进式变化，识别每个知识点的“最近发展区阈值”（如某公式推导题的合理解题时间为 15 ～ 25min，超出则触发干预）（Goodfellow et al., 2016）；

为解决“标签固化”问题，改进 K-Means 算法，引入教育情境因子（如课程难度、教师风格）作为动态权重，使聚类结果更贴合教育实际，如将“主动探索型”学生细分为“理论偏好型”与“实践偏好型”（Macqueen, 1967）。

智能教育平台研发：联合开发“认知-情感双维度预警系统”，融合计算机视觉（课堂表情识别）与教育心理学（成就动机理论），例如：

通过摄像头捕捉学生课堂注意力时长（＜ 10min/ 课），结合在线学习平台的“资源弃用率＞ 40%”数据，识别“低动机高认知负荷”学生，自动推送游戏化学习资源与心理激励方案（Baltrusaitis et al., 2018）；

利用自然语言处理分析师生对话文本，识别“成长型思维”（如“我可以通过练习提高”）与“固定型思维”（如“我天生不适合数学”）学生，为其生成差异化反馈策略，提升学生自我效能感。

7.3.3.2 心理学与数据科学的交叉创新

情感计算驱动的精准干预：将心理测量学与机器学习结合，构建“学习情感指数”。

整合智能手环的心率变异性数据、在线讨论区的文本情感倾向、作业提交时间波动，通过梯度提升数（XGBoost）计算焦虑指数，当指数＞75 时触发心理辅导联动机制，使高焦虑学生的挂科率从 41% 降至 23%（Pekrun, 2006）；

开发“动机维持模型”，基于自我决定理论（Miller et al., 1988），分析“自主-胜任-归属”三种心理需求的满足度与学习行为的关联，如发现“归属需求未满足”的学生，其小组协作参与度下降 60%，进而推送学伴匹配与社群活动推荐（何俊 等，2020）。

认知负荷的量化评估：结合认知科学理论优化数据采集维度。

通过眼动追踪数据（注视点停留时长、扫视速度）与作业错误类型，构建“内在认知负荷模型”，识别导致高负荷的知识点（如“微积分中值定理”章节使 40% 学生停留＞ 20min 且错误率＞ 50%），自动建议教师拆分知识点并增加可视化讲解（Sweller, 1994）；

利用脑电信号（EEG）采集设备，探索神经数据与学习行为的关联，如发现前额叶皮层激活强度与解题正确率的相关系数达 0.68（$p < 0.001$），为精准评估学习投入提供生理依据（何俊 等，2020）。

7.3.3.3 社会学与教育技术的协同探索

教育公平的数据分析：运用社会网络分析（SNA）揭示数据背后的社会结构影响。

分析“学生干部身份”与“师生交互次数”的关联，发现担任班干部的学生获得导师指导的频次高 45%，需通过数据平衡策略确保资源分配公平，如为非干部学生自动推送“教师咨询预约提醒”（李蒙，2019）；

研究地域文化对学习行为的影响，如发现浙江籍学生“早餐规律度”显著高于外省学生（$p < 0.01$），且与成绩呈正相关，需在画像模型中增加地域文化因子，避免单一标准导致误判。

教育政策的模拟推演：通过数据建模评估政策效果，如：

模拟“延长图书馆开放时间”对不同群体的影响，发现“网络依赖型”学生（月均上网＞ 100h）的到馆率仅提升 5%，而“勤奋型”学生提升 30%，据此调整资源配置优先级；

评估“助学金发放标准”与学业预警的联动效果，通过决策树模型发现“月均消费＜ 500 元且预警等级为红色”的学生，获得助学金后挂科率下降 55%，为政策精准化提供依据（王新澳，2021）。

7.3.3.4 跨学科研究的实施路径

建立“教育数据科学”交叉学科：设置融合教育学、计算机科学、心理学的培养方向，开设“教育机器学习”“数据驱动教育决策”等核心课程，培养既懂教育规律又能开发智能系统的复合型人才。

构建跨学科研究平台，如“教育智能联合实验室”，整合高校教育学院、计算机学院、心理学院资源，共享浙江 A 大学等机构的脱敏数据集，开展“学习行为-脑电信号-学业成效”关联研究，推动从数据描述到机制解释的理论突破。

设立跨学科研究专项，支持“技术伦理＋教育应用”“社会网络＋学习分析”等交叉课题，例如研究区块链技术如何促进教育资源的去中心化分配，或物联网数据如何优化校园生活-学习生态的协同机制（Atzori et al., 2010）。

7.3.4 未来研究的关键挑战与突破方向

技术通用性与场景特殊性的平衡：现有模型多基于特定高校数据训练，跨校泛化能力不足。需研究“迁移学习＋领域适配”技术，如通过元学习（Meta-Learning）快速适配不同院校的学生群体特征，使浙江 A 大学的预警模型在西部高校的准确率保持在 80% 以上（Yukinawa et al., 2006）。

长期效应评估的方法论创新：当前研究多关注短期干预效果（如学期内成绩提升），缺乏对数据驱动教育模式的长期影响评估。需建立跟踪研究数据库，分析 10 年周期内“学生画像干预”对职业发展、终身学习能力的影响，如比较干预组与对照组的职场适应力、持续学习投入度差异。

人机协同的教育生态构建：探索教师与 AI 的分工边界，开发“教师 -AI 协同决策系统”，明确数据建议与人工判断的权重分配，例如在红色预警学生的干预方案中，AI 提供 70% 的策略建议，教师保留 30% 的调整权，既发挥技术效率又避免过度依赖 AI 技术（Moore, 2006）。

参考文献

Agresti A, 2018. An introduction to categorical data analysis. John Wiley & Sons.

Akçapınar G, Hasnine M N, Majumdar R, et al., 2019. Developing an early-warning system for spotting at-risk students by using eBook interaction logs. Smart Learning Environments, 6(1): 1–15.

Amrieh E A, Hamtini T, Aljarah I, 2016. Mining educational data to predict student's academic performance using ensemble methods. International journal of database theory and application, 9(8): 119–136.

Atzori L, Iera A, Morabito G, 2010. The internet of things: A survey. Computer networks, 54(15): 2787–2805.

Baker R S, Corbett A T, Koedinger K R, 2004. Detecting student misuse of intelligent tutoring systems. In Intelligent Tutoring Systems: 7th International Conference, ITS 2004, Maceió, Alagoas, Brazil, August 30–September 3, 2004. Proceedings 7: 531–540. Springer Berlin Heidelberg.

Baltrusaitis T, Ahuja C, Morency L P, 2018. Multimodal machine learning: A survey and taxonomy. IEEE transactions on pattern analysis and machine intelligence, 41(2): 423–443.

Bassoo V, Ramnarain-Seetohul V, Hurbungs V, et al., 2018. Big data analytics for smart cities. Internet of things and big data analytics toward next-generation intelligence: 359–379.

Chen C M, Hsieh Y L, Hsu S H, 2007. Mining learner profile utilizing association rule for web-based learning diagnosis. Expert Systems with Applications, 33(1): 6–22.

Chen X, Vorvoreanu M, Madhavan K, 2014. Mining social media data for understanding students' learning experiences. IEEE Transactions on learning technologies, 7(3): 246–259.

Davenport T, Harris J, 2017. Competing on analytics: Updated, with a new introduction: The new science of winning. Harvard Business Press.

Devlin J, Chang M W, Lee K, et al., 2019. Bert: Pre-training of deep bidirectional transformers for language understanding. In Proceedings of the 2019 conference of the North American chapter of the association for computational linguistics: human language technologies, volume 1 (long and short papers): 4171–4186.

Dwork C, Roth A, 2014. The algorithmic foundations of differential privacy. Foundations and Trends® in Theoretical Computer Science, 9(3–4): 211–407.

García S, Luengo J, Herrera F, 2015. Data preprocessing in data mining. Cham, Switzerland: Springer International Publishing: 59–139.

Garrison D R, Kanuka H, 2004. Blended learning: Uncovering its transformative potential in higher education. The internet and higher education, 7(2): 95–105.

Goodfellow I, Bengio Y, Courville A, et al., 2016. Deep learning. Cambridge: MIT Press.

Gubbi J, Buyya R, Marusic S, et al., 2013. Internet of Things (IoT): A vision, architectural elements, and future directions. Future generation computer systems, 29(7): 1645–1660.

Gui G, Pan H, Lin Z, et al., 2017. Data-driven support vector machine with optimization techniques for structural health monitoring and damage detection. KSCE Journal of Civil Engineering, 21: 523–534.

Gutmann A, 1993. Democracy & democratic education. Studies in Philosophy and Education, 12: 1–9.

Hebb D O, 2005. The organization of behavior: A neuropsychological theory. Psychology Press.

Kitchin R, 2014. Big Data, new epistemologies and paradigm shifts. Big Data & Society, 1(1): 2053951714528481.

Kizilcec R F, Piech C, Schneider, E, 2013. Deconstructing disengagement: analyzing learner subpopulations in massive open online courses. In Proceedings of the third international conference on learning analytics and knowledge:170–179.

Lee I., Lee K, 2015. The Internet of Things (IoT): Applications, investments, and challenges for enterprises. Business horizons, 58(4): 431–440.

Lee W Y, Ko H M, Yu J H, et al., 2016. An implementation of smart dormitory system based on Internet of Things. Journal of the Korean Institute of Intelligent Systems, 26(4): 295–300.

Li Y, Lerner R M, 2013. Interrelations of behavioral, emotional, and cognitive school engagement in high school students. Journal of youth and adolescence, 42(1): 20–32.

Liu W X, Cheng C H, 2016. A hybrid method based on MLFS approach to analyze students' academic achievement [Conference session]. 12th International Conference on Natural Computation, Yangon.

Macfadyen L P, Dawson S, 2010. Mining LMS data to develop an "early warning system" for educators: A proof of concept. Computers & education, 54(2): 588–599.

Macqueen J, 1967. Some methods for classification and analysis of multivariate observations. In Proceedings of the Fifth Berkeley Symposium on Mathematical Statistics and Probability, Volume 1: Statistics. University of California Press: 281–298.

Marbouti F, Diefes-Dux H A, Madhavan K, 2016. Models for early prediction of at-risk students in a course using standards-based grading. Computers & Education, 103: 1–15.

Miller K A, Deci E L, Ryan R M, 1988. Intrinsic motivation and self-determination in human behavior. Contemporary Sociology, 17(2): 253.

Mining W I D, 2006. Data mining: Concepts and techniques. Morgan Kaufmann, 10(559–569): 4.

Moore D R, 2006. E-learning and the science of instruction: Proven guidelines for consumers and designers of multimedia learning. Educational Technology Research and Development, 54(2): 197–200.

Murtagh F, Heck A, 2012. Multivariate data analysis. Springer Science & Business Media.

Myron H, Dembo, Helena Seli, 2016. Motivation and Learning Strategies for College Success. Lawrence Erlbaum Associates.

Nakamoto S, 2009. Bitcoin: A peer-to-peer electronic cash system Bitcoin: A Peer-to-Peer Electronic Cash System. Bitcoin. org. Disponible en https://bitcoin. org/en/bitcoin-paper.

Paunov C, Planes-Satorra S, 2019. How are digital technologies changing innovation?. OECD Science, Technology and industry policy papers.

Pekrun R, 2006. The control-value theory of achievement emotions: Assumptions, corollaries, and implications for educational research and practice. Educational Psychology Review, 18: 315–341.

Piaget J, 1962. The stages of the intellectual development of the child. Bulletin of the Menninger clinic, 26(3): 120.

Podsakoff P M, MacKenzie S B, Lee J Y, et al., 2003. Common method biases in behavioral research: a critical review of the literature and recommended remedies. Journal of Applied Psychology, 88(5): 879.

Quinlan J R, 2014. C4. 5: programs for machine learning. Elsevier.

Rakesh Agrawal, Ramakrishnan Srikant, 1994. Fast Algorithms for Mining Association Rules in Large Databases [Conference session]. Proceedings of the 20th International Conference on Very Large Data Bases, Santiago.

Ranjan J, Khalil S, 2008. Conceptual framework of data mining process in management education in India:aninstitutional perspective. Information Technology Journal, 7(1): 16–23.

Retalis S, Georgiakakis P, Dimitriadis Y, 2006. Eliciting design patterns for e-learning systems. Computer Science Education, 16(2): 105–118.

Romero C, Ventura S, 2010. Educational data mining: a review of the state of the art. IEEE Transactions on Systems, Man, and Cybernetics, Part C (applications and reviews), 40(6): 601–618.

Romero C, Ventura S, 2013. Data mining in education. Wiley Interdisciplinary Reviews: Data mining and knowledge discovery, 3(1): 12–27.

Rousseeuw P J, 1987. Silhouettes: a graphical aid to the interpretation and validation of cluster analysis. Journal of computational and applied mathematics, 20: 53–65.

Rumelhart D E, McClelland J L, PDP Research Group, 1986. Parallel distributed processing, volume 1: Explorations in the microstructure of cognition: Foundations. The MIT Press.

Shreiner T L, Dykes B M, 2021. Visualizing the teaching of data visualizations in social studies: A study of teachers' data literacy practices, beliefs, and knowledge. Theory &

Research in Social Education, 49(2): 262–306.

Solove D J, 2005. A taxonomy of privacy. U. Pa. l. Rev., 154: 477.

Steinley D, 2006. K–means clustering: a half–century synthesis. British Journal of Mathematical and Statistical Psychology, 59(1): 1–34.

Swan M, 2017. Anticipating the economic benefits of blockchain. Technology innovation management review, 7(10): 6–13.

Sweller J, 1994. Cognitive load theory, learning difficulty, and instructional design. Learning and instruction, 4(4): 295–312.

Thilina K M, Choi K W, Saquib N, et al., 2013. Machine learning techniques for cooperative spectrum sensing in cognitive radio networks. IEEE Journal on selected areas in communications, 31(11): 2209–2221.

Tomlinson C A, 2014. The differentiated classroom: Responding to the needs of all learners. Ascd.

Vassilvitskii S, Arthur D, 2006. k–means++: The advantages of careful seeding. In Proceedings of the eighteenth annual ACM–SIAM symposium on Discrete algorithms : 1027–1035.

Vranic M, Pintar D, Skocir Z, 2007. The use of data mining in education environment [Conference session]. 2007 9th International Conference on Telecommunications, Croatia.

Vygotsky L S, 1978. Mind in society: The development of higher psychological processes (Vol. 86). Harvard University Press.

Waheed H, Hassan S U, Aljohani N R, et al., 2020. Predicting academic performance of students from VLE big data using deep learning models. Computers in Human behavior, 104: 106189.

Wang Y H, Liao H C, 2011. Data mining for adaptive learning in a TESL–based e–learning system. Expert Systems with Applications, 38(6): 6480–6485.

Wasserman, Stanley, Faust, et al., 1994. Social Network Analysis : Methods and Applications (Structural Analysis in the Social Sciences). Cambridge University Press.

Wu A K W, Leung C H, 2002. Evaluating learning behavior of web based training(WBT)using weblog [Conference session]. 2002 International Conference on Computers in Education, Auckland.

Yang Q, Liu Y, Chen T, et al., 2019. Federated machine learning: Concept and applications. ACM Transactions on Intelligent Systems and Technology (TIST), 10(2): 1–19.

Yin Y, Yu X, 2021. Portrait of College Students and Personalized Teaching Mode Under the Blended Learning Mode Based on Big Data Technology [Conference session]. 2021 International Conference on Cognitive based Information Processing and Applications, BeiJing.

Yukinawa N, Oba S, Kato K, et al., 2006. A multi–class predictor based on a probabilistic model: application to gene expression profiling-based diagnosis of thyroid tumors. BMC genomics, 7: 1-13.

Zawacki-Richter O, Marín V I, Bond M, et al., 2019. Systematic review of research on artificial intelligence applications in higher education - where are the educators?. International Journal of Educational Technology in Higher Education, 16(1): 1-27.

Zhang C, Zhang S, 2002. Association rule mining: models and algorithms. Berlin, Heidelberg: Springer Berlin Heidelberg.

曹萌，于洋，梁英，等，2021. 基于区块链的大数据交易关键技术与发展趋势 . 计算机科学，48（S2）: 184-190.

陈海建，戴永辉，韩冬梅，等，2017. 开放式教学下的学习者画像及个性化教学探讨 . 开放教育研究，23（3）: 8.

陈海建，王冬青，李艳，2017. 基于大数据的学生画像构建研究 . 中国电化教育（1）: 84-89.

陈平，王军，王利钢，2018. 高职生的网络学习行为模型与实证研究——基于三元交互理论 . 中国教育信息化（03）: 22-26.

单瑞祥，2021. 基于统计学与数据挖掘技术下对学生网络学习行为存在问题的分析 . 延边：延边大学 .

翟鸣宇，程建，王苏桐，2021. 基于 K-prototype 聚类的学生教育画像分析 . 大连理工大学学报（社会科学版），42（6）: 22-31.

丁国勇，2019. 高校学生学业表现数据建模研究 . 南京：南京师范大学 .

杜小刚，张慧，魏哲，2011. 高校学业预警机制构建研究 . 出国与就业：就业教育 (19): 2.

符睿，2021. 并行 H-mine 算法在智慧校园学生行为分析中的应用 . 佳木斯大学学报（自然科学版），39（05）: 156-159，163.

葛道凯，张少刚，魏顺平，2012. 教育数据挖掘：方法与应用 . 北京：教育科学出版社 .

顾小清，舒杭，2016. 信息技术的作用发生了吗——用学习分析技术刻画学习行为印记 . 现代远程教育研究（5）: 10-19.

郭鸣谦，潘晚坷，胡传鹏，2024. 认知建模中模型比较的方法 . 心理科学进展，32(10): 1736.

何俊，张彩庆，李小珍，等，2020. 面向深度学习的多模态融合技术研究综述 . 计算机工程，46(5): 1-11.

胡小建，韦超豪，2017. 基于 Canopy 和 K-means 算法的订单分批优化 . 合肥工业大学学报（自然科学版），40（03）: 414-419.

黄海涛，2010. 美国高等教育中的“学生学习成果评估”：内涵与特征 . 高等教育研究，31（07）: 97-104.

黄文林，2021. 基于学生画像分析的高校精准思政探索 . 东北大学学报（社会科学版），23（03）: 104-111.

李爱霞，2021. 基于学习行为数据的认知特性刻画研究 . 上海：华东师范大学 .

李怀建，胡梓烨，杜小菁，2021. 基于支持向量机的组合导航故障检测研究 . 战术导弹技术（2）: 101-134.

李蒙，2019. 基于校园大数据的学生行为挖掘方法应用研究 . 西安：西安电子科技大学 .

李洒洒，2020. 基于学生行为分析的学业预警 . 武汉：华中师范大学 .

李依浓，李洋，林文棋，2022. 达姆施塔特市“数字城市发展战略”——德国城市数字化转型的启示 . 全球城市研究，3（2）: 52-67.

梁柱，2017. 基于校园大数据的学生行为分析与预测方法研究 . 西安：西安理工大学 .

刘桂锋，阮冰颖，刘琼，2021. 加强数据安全防护提升数据治理能力——《中华人民共和国数据安全法（草案）》解读 . 农业图书情报学刊，033（004）: 4-13.

刘焱，李苹，2001. 试论远程开放教育条件下的课堂教学 . 中国远程教育（12）: 3.

马乐陶，2020. 基于数据挖掘的铁路学生旅客购票行为分析 . 大连：大连交通大学 .

邵峰晶，2003. 数据挖掘原理与算法 . 北京：水利水电出版社 .

申民哲，2022. 基于数据挖掘的学生画像与学业预警方法研究 . 郑州：郑州轻工业大学 .

宋文卓，2021. 面向异构网络数据的表示学习与应用研究 . 长春：吉林大学 .

陶飞，刘蔚然，刘检华，等，2018. 数字孪生及其应用探索 . 计算机集成制造系统，24（1）: 1-18.

王芳妮，贺兴时，谌路，等，2021. 改进的 k-means 算法 . 纺织高校基础科学学报，25（3）: 4.

王刚涛，2021. 基于机器学习的学业预警研究 . 西安：西安石油大学 .

王新澳，2021. 基于校园行为信息网络的相似学生搜索与行为预测研究 . 成都：四川大学 .

王峥，2019. 基于学生校园数据的学业预警与社交分析系统的设计与实现 . 北京：北京邮电大学 .

魏顺平，2013. 学习分析技术：挖掘大数据时代下教育数据的价值 . 现代教育技术，23（02）: 5-11.

夏杨，王芳，2017. 基于一卡通数据的校园大数据分析平台的构建与应用 . 华中师范大学学报（自然科学版）（S1），146-151.

肖逸枫，2018. 数据挖掘技术用于高校学生留级预警的研究 . 重庆：重庆大学 .

辛浩，韩书娜，2021. 基于智慧课堂云平台开展大学生就业创业能力培养研究 . 现代职业教育（4）: 44-46.

徐枫，2019. 大数据环境下高校学生行为综合分析研究 . 兰州：兰州理工大学 .

徐玉麟，2002. 计算机软件保护条例释义 . 北京：中国法制出版社 .

余燕芳，葛正鹏，2017. 基于国际比较的学分银行学分内涵及学习成果转换研究 . 远程教育杂志，35(2)：8.

张华霞，李秋生，蒲蓬勃，2018. 关联规则及 Apriori 算法的大学生行为分析研究 . 赣南师范大学学报，39（03）: 133-136.

张明焱，杜旭，李浩，2022. 结合学生行为模式分析的成绩早期预警研究 . Journal of Computer Engineering & Applications，58(1).

张娜，刘晓丹，2021. 学生画像技术在教学中的研究实践与应用 . 计算机时代（09）: 70-73.

张伟豪，徐茂洲，苏荣海，2020. 与结构方程模型共舞・曙光初现 . 厦门：厦门大学出版社 .

张中杰，2018. 面向态势评估的关联规则挖掘关键技术研究 . 长沙：国防科技大学 .

赵必华，2017. 大学生学习成效影响因素的调查研究——基于 35 所本科院校的数据 . 高教探索，9（11）: 36-44.

赵国亮，陈晓军，李思奇，等，2017. 基于数据分析高校学生自画像的初探 . 数字技术与应用（8）：233-234，236.

郑秀梅，刘韶芳，2008. 基于建构主义视角下的自主学习环境初探 . 考试周刊 (11)：2.

中央网络安全和信息化委员会，2021. “十四五”国家信息化规划 . http://www.cac.gov.cn/2021-12/27/c_1642205314518676.htm

朱亚辉，黄襄念，2015. SVM 方法在模式识别应用领域中的发展与研究 . 现代计算机（专业版）(06)：2024.